ひとりの午後に

上野千鶴子

alone in the afternoon
ueno chizuko

NHK出版

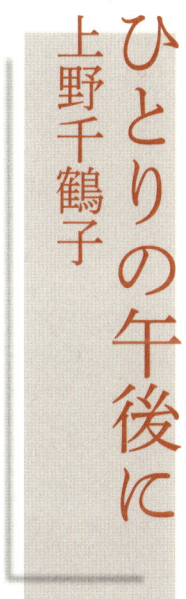

ひとりの午後に

目次

1　思いだすこと

菫の香水　6
墓　10
和菓子　17
かすていら　24
母の味　30
好奇心　38
記憶　44
W坂　50

2　好きなもの

声　60
夕陽　67
クルマ　74
本棚　80

スキー 88
ペット 94
俳句 101
髪 108
風呂 115

3 年齢を重ねて

青春 124
うた 131
相談 136
ファン 142
晩夏 148
逆風 155
正月 161
還暦 168
読者 175

4　ひとりのいま

佇まい　192

儀式　198

ボケ　204

夢　211

年齢　217

ひとり　222

あとがき　229

装画　フィリップ・ワイズベッカー

ブックデザイン　日下潤一

本文デザイン・組版　長田年伸

編集協力　山田和幸（装画複写）・手塚貴子

1　思いだすこと

菫の香水

母を喪《うしな》ったあと、鏡台に香水がいくつか、残った。シャネルの五番などに混じって、ほのかで青っぽい菫《すみれ》の香水が一瓶、あった。母は、すみれ色の好きな人だった。そして実際、すみれ色がよく似合った。いくつかの香りのなかで、そのわずかに草っぽい香りの菫の香水を、母がいちばん愛好したものとわたしは信じて疑わず、それを持ち帰った。

生前、わたしは彼女と、決して仲のよい親子とは言えなかった。お定まりの母と娘の確執のなかで——仲のよい母と娘なんて、わたしはいまだに信じることができない——わたしは一途《いちず》に「母のようになるまい」と思いつづけ、母は娘が自分の手の届かないところに行ってしまうことを恨んだ。愚痴の多い母の人生は、少しも幸せそうには見えず、かと言ってその生活から脱けだそうとはしない母を、わたしは悪《にく》んだ。

それでもわたしの生に根拠を与えた一組の男女は、父と母という名で、わたしの前に衝《つい》立《たて》のように立っていた。よくも悪くも、それは衝立だったのだと思う。両親を亡くした友人が「親に死なれるって、死と自分のあいだに立っていた遮蔽物がなくなって、吹きさらしになる感じ」と表現したが、言いえて妙だと思う。

わたしのなかの感情の帳尻が合うまで、母は死を待ってはくれなかった。わたしはとつぜんぽんと荒野に投げだされ、置き去りにされた子どものように、死者に向かって泣き言やくり言を言わなければならなかった。死者はすぐには死んではくれず、決着のつかない感情の帳尻を合わせるために、半年わたしは対話をくり返した。「お母さん、死んでまであなたはわたしを解放してくれないのね」と一時は思いさえしたが、わたしのなかで、死者は少しずつ変わっていった。

ひとり残された高齢の父親は、わたしが帰るたびに、母の思い出話をする。それも近過去ではない。五十年も前の——両親は一昨年金婚式を祝ったところだった——新婚時代の思い出を、ディテールにわたって語る。その思い出のなかには、当然のことながら、まだ子どもたちはいない。わたしにも共有できないその思い出話を、さも幸福そうに語りながら、老いた父は、自分たちがどんなに仲のよい夫婦だったかと、くり返しわたしに合意を求めるのだ。

そのたびに、わたしは胸を衝かれる。子どもの眼にはけっして仲のいい夫婦とは映っていなかったこの男女は、もしかしたらわたしの知らないところで深い相互依存に結ばれていたのではなかろうか、と。

たんなる過去の美化ではない。

「ぼくらは仲のいい夫婦だったよねえ」と、合意を求める父に、にわかに同意を与えることはできないが、遠くを見るような父の幸せな顔つきに、わたしは気弱な微笑を返しながら、もしかしたら母は幸せだったのかもしれない、としだいに思うようになった。

母は長い闘病生活の最後を、開業医である父に看とられて自宅で亡くなった。父は母を自分の手で看とると主張し、自分が長年医者をしてきたのはこのためだった、とさえ言った。高齢の父が連夜の看病疲れから共倒れになるのを怖れた子どもたちからの、再三再四にわたる入院のすすめにも、頑として耳を貸さず、「おまえたちは、かあさんとぼくを引き離そうというのか」――夫婦というものをおまえたちはわかっていない、とまで言った。

子どもたちはやがて、万が一の治療ミスで母が死期を早めることがあっても、それは母の運命なのだと観念し、母じしんも自分をその運命に委ねるように見えた。

この男女の結びつきは、幸も不幸も超えたものだったと思う。子どもとはいえ第三者のわたしには、それを「幸福」とか「不幸」とか評することができないのだった。そして関係の一方の当事者が、それを幸福だった、と遠い目で語るとき、わたしにはそれを否定するどんなことばもない。

「母はもしかしたら幸福だったのかもしれない」――そう思い始めてから、恕《ゆる》し恕される感覚がようやくわたしを満たしはじめた。半年後、春がめぐってきて、わたしが母の遺品だった菫の香水を身につけたのは、その時からである。

あたりまえのことだが、香水は使えばなくなる。消えてなくなる儚いものが、香水の運命である。使うたび少しずつ減っていく菫の香水を惜しんで、わたしは同じものを求め歩いた。ある自然食品の店で、菫からじかに抽出したという香水を見つけ、一瓶求めたが、やはり似て非なるものだった。

「やがてなくなる」――そう思いながら、わたしは母の遺した菫の香水を使いつづけている。わたしに生を与えた根拠の一角を失って、ほんとうを言えば、わたしはほっと大きな肩の荷が降りた思いでいる。死とわたしとのあいだの衝立を失った吹きさらしの野には、よろめいてもかまわない自由さがある。

結局わたしは、母の人生に責任をとることなどできなかったのだ、と、あたりまえのことを思いながら――その逆もまた――わたしと深い関わりのあったひとりの女性の生の完結のあと、菫色の香りのなかで喪に服している。

墓

今年も父の命日をあやうく忘れそうになった。

親不孝な娘である。

初夏に亡くなった父の葬儀には、白いカサブランカが式場を埋め尽くし、百合の香りがたちこめた。牧師の司式のもと、キリスト教式でおこなわれた葬儀では、関係者から届く供花に、送り主の名前を掲げることをお断りした。そのおかげで、肩書きのある見知らぬ方々の名前が並ぶ花輪に囲まれることもなく、簡素で清潔な式になった。

葬式と言えば、白や黄色の菊、とくるのはどうにも好きになれない。カサブランカは好きな花だ。優雅なわりに丈夫で、まめに手入れしなくても、蕾の最後の一輪まで咲いてくれることもうれしい。父がカサブランカの季節に亡くなってくれたことを、ひそかに喜んだものだ。これが真冬だったりしたら、カサブランカを集めたくても、そういうわけにいかない。どうしても、と思えば、雪の森のなかへ「苺を摘みに行っておいで」と娘を追いやる継母の命令をきかなければならないような気分になることだろう。

それ以来、父の命日になると、白いカサブランカをひとかかえ求めて部屋に飾り、ひとりで喪に服すのがわたしの習慣になったのだが……月日が経つと、それも忙しさにまぎれてしまう。


「わたしのお墓の前で、泣かないでください、そこにわたしはいません」という歌が流行ったが、父は、母を喪ったあと、墓参をしようとしなかった。

愛してやまなかったというよりも、依存してやまなかった妻を喪ったのち、悲嘆と抑鬱のなかに沈んだ彼は、葬式のあとの墓地への納骨への立ち会いも、その後の墓参も拒んだ。「ママ——というのが、彼の妻に対する呼び名だった——は、そんなところにいない」というのが、父の口癖だった。

理工系の実学しか学問と思わず、初めて家にテレビが入ったときに、ひがな一日、走査線の走るのを飽くこともなく凝視して、「すばらしいねえ、科学技術というのは。お兄ちゃんもこういうことのできる大人になりなさい」と息子に言いつづけた父のことだ。徹底した近代合理主義者で、お骨になった妻は妻ではない、と思ったのだろうか。それとも、キリスト教徒らしく、魂は死んでも彼のもとを離れず、自分の傍《かたわ》らによりそいつづける、と思ったのだろうか。最期の日まで母の病室にしていた部屋を、そのまま手つかずに置いておき、年が改まってカレンダーをとりかえようとしたところ、父に叱責されてそのままにした。だから母の部屋のカレンダーは、母の亡くなったときのままだ。そのとおり、彼の時間も、母の死とともに止まったままだった。ひとりになった父は、眠れぬ夜に起きだしては母の部屋の扉を開けて、闇に向かって「ママー」と呼んでは泣きつづけた。ふしぎなことに、父はこの逸話を娘のわたしだけに語り、ふたりの息子たちにはついに口にすることがなかった。

母は父と結婚するにあたって、キリスト教に入信した。長いあいだ、クリスチャンとして暮らしてきたのに、晩年になってから、父に背くように、「わたしはクリスチャンとしては死ねない」と言い始め、般若心経の写経などを始めた。うまくいかなかった姑の死後も、長男の嫁として守ってきた仏壇を守り、お供えや花を絶やさず、祖母の法事も僧侶を迎えてとりしきった。いまから思えば、あれは母の父に対するせいいっぱいの反抗だったのだと思う。

そんな母の葬儀は、仏教式でとりおこなわれた。赴任地のドイツから突然の訃報で呼び戻されて、とるものもとりあえず飛行機に飛び乗ってかけつけた葬儀の場には、仏教式の祭壇や線香の匂いが立ちこめ、なじみのない法衣のお坊さんがいて、違和感が強かった。死に目に遭えなかった母は、まあたらしい位牌に聞いたこともない戒名を与えられて、別人のようだった。

よく意味のとれない読経の声、ルーティンワークをなぞるような気のない僧侶のふるまい、派手すぎる法衣、そのどれもに、なじめなかった。それに送り主の名前を掲げた花輪の群れ。母が亡くなったのはちょうど十月のはじめだったから、花輪に菊があふれていた。

それに比べれば、キリスト教式でとりおこなわれた父の葬儀は、簡素で人間味にあふれていた。死者の棺をとりまく花、花、花のほかには、これといってものものしい祭壇もない。牧師さんのお話は父の人生や人柄にふれたカスタムメイドのもので、なによりことばの意味が通じた。「故人愛唱の賛美歌をご一緒に」と促されて歌った賛美歌は、「世の友われを見捨てるときも、いつくしみ深い友なるイェスは我を見捨てじ」という意味の歌詞だった。いかにも友人のいない、孤独な父にふさわしい歌で、父がこの歌を愛唱していたのかと思ったときには、胸の詰まる思いがしたものだ。あとから聞けば、たいがいの葬儀には、この歌を歌うらしいのだけれど。

転移ガンの末期で治らないことが本人にも周囲にもはっきりわかっていた父と、わたしは病床でよく「どんな葬式がいい？」という話をした。結局父は、キリスト教徒として亡くなったが、生前、憎まれ口をきいたことを、わたしは死ぬほど後悔した。

死の床にある父に向かって、わたしはこう軽口を叩いたのだ。

「お母さんは極楽に行ったけど、お父さんは天国に行くから、向こうで会えないわね。」


自分の死を悟ってから、父は墓のことをしきりに気にし始めた。そして子どもたちに、お母さんと同じ墓に入れてほしい、そしてちゃんとお参りに来てほしい、と言い始めた。あの近代主義者はどこに行ったのか、と思ったが、よほど心細く感じたのだろう。

もうひとつ、後悔していることがある。

火葬場で、係員から「どの骨壺を選びますか」と訊かれて、わたしは白い磁器の壺を選んだ。簡素で清浄で、いちばん美しく見えたからだ。そのあと、上野家の墓地に納骨に出かけて、母の骨壺のそばに父の骨壺を並べて置いたとき、母の壺がほかのご先祖様と同じく、素焼きの壺であることに気がついた。いくつもの素焼きの壺と並べると、磁器の壺は、傲然と崩壊を拒んでいるように見えた。

ひとは死に、朽ちて土に帰っていく。土色の素焼きの壺は、やがて朽ちていくものの運命を従容と受けいれているように思えたのに、白磁の壺は、まわりのすべてが朽ちたあとも滅びることができずに、ひとりあとに遺されてそこに佇みつづけるように思えた。腐敗を寄せ付けない白磁の壺は、孤独で狷介な父のありようそのままに見えて、死後までもまわりに溶けあわない「壁」を与えてしまったかのようで胸が痛んだ。

「先祖代々の墓」の歴史が、せいぜい幕末から明治にさかのぼるぐらいのものにすぎない、と教えてくれたのは、墓の歴史を研究している井上治代さんだ。少子化が進めば、女の子しかいない家庭もあるし、ひとりっ子どうしの結婚も増える。墓守りを期待してもしだいにそれがむずかしくなる。会社だけでなく、お墓の統廃合も考えなければならない時代が来る、と預言したのは、樋口恵子さんである。最近では、個人墓や集合墓など、従来の家や家族にとらわれない墓も増えてきた。もとより、ひとりもののわたしには、死後の墓守り役などいない。

お墓には引っ越しもある。長男である兄夫婦は、家の墓を守るためと、将来自分たちの墓を息子たちに守ってもらう便宜のために、遠方にある上野家の墓を、近くの墓地に移した。そのお墓のお披露目のときに、兄たちはわたしに、「これは自分たち家族の墓だから、おまえはおまえで自分のことを考えなさい」と言い渡した。

これでほんとうに戻るところがなくなった。

わたしは親の命日も忘れ、めったに墓参もしない親不孝者である。新しく引っ越した墓の位置も、じきに忘れるだろう。なじみのない墓に両親が眠っているとは思えず、墓参からますます足が遠のくだろう。

だが……わたしが生きているあいだ、わたしの記憶のなかにあのひとたちは生きつづける。そして父に吐いたあのせりふを思いだすたびに、後悔が生々《なまなま》しく胸を嚙む。

それでよいではないか、ともうひとりのわたしがわたしに囁《ささや》きかける。

そして、わたし自身は？

家族よりも大切なひとたちと、かけがえのない絆を築いてきた。そのひとたちが生きているあいだ、そのひとたちの記憶にとどまりつづける……それでよいではないか、とわたしはわたしに言い聞かせる。

そう思うひとたちが増えてきたと見えて、樹木葬や散骨など、「葬送の自由」も拡大してきたようだ。死ねば何もなくなると割り切れるほどの唯物論者でもないが、魂は死なないと思えるほどの信仰もない、そんなわたしにとって、お墓はいらない。なぜって「そこにわたしはいません」と言うほどの思いはあるからだ。

和菓子

和菓子の究極は、羊羹《ようかん》と最中《もなか》だと言ったひとがいる。なるほど、このふたつは奥が深い。だが、甘味が貴重品だった時代の羊羹とはちがい、嗜好品があふれている今日には、羊羹の重さはちょっとつらい。それよりつくりたての最中の味は、和菓子のスタンダード中のスタンダード。その店の商品のクオリティがそれではかられる、と言ってもよいだろう。薄焼きの皮に餡をはさんだだけのシンプルな最中は、味にごまかしがきかない。

事実、老舗、名店と言われるところにはきまって名物最中がある。金沢で育ったわたしにとっては、森八の蛇玉最中は、和菓子の原点である。

明治生まれの祖母が同居していた三世代家族で育ったわたしにとって、お茶の間の和菓子とお茶の時間は、暮らしのなかの欠かせない風景だった。長男の嫁だった母が、そのときだけはあまり仲のよくない祖母といっしょに、茶卓を囲む。お茶がなみなみと注がれ、何杯でも断るまでさしかえられる。茶殻が茶こぼしにあふれ、一日の終わりにはたいへんな量になる。

父が開業医をしていた関係で、来客も多く、祖母や母のゆかりのひとたちが患者となって通院していた頃は、そういう知人を殺風景な待合室ではなく、茶の間に招き入れて待ち時間を過ごすのがつねだった。ひとづきあいのよいとは言えなかった父に対して、おんな勢は、そうやって家業に貢献しているつもりだったのかもしれない。事実、そのお茶の時間を楽しみに、わが家へ通ってくる縁者や来客もいて、茶の間にはいつでもだれかしら家族以外のひとがいた。

わたしがいまでも他人と飲み食いするのがいっこうに苦にならないのは、使用人や来客の多い、商家のような家庭に育ったからだと思う。

煎茶や濃い茶のお手前を大事にするひともいるが、わが家のお茶は、湯冷ましにさえ気を配らない、気楽なお茶だった。ポットから沸いたお湯をじかに急須に注ぐ。そうしても茶葉のちがいは出るから、「お茶ばかりのんでいると、しだいにのみ上がってねえ」と言いながら、お茶屋から茶葉をとりよせていた。

わたしは、自称「茶っくればばあ」である。静岡の茶切節の囃《はや》しことば、「茶っきり、茶っきり、茶っきりな」をもじって、「茶っくれ、茶っくれ、茶っくれな」と歌う。そのくらい一日にお茶を何杯ものむ。それも大きな湯のみで、なみなみと。お茶をのんでは、トイレに通う。お茶なしでは夜も日も明けない生活習慣も、この頃に身についたものだ。

ある有料老人ホームでは、夜間のおむつ交換の回数を抑えるために、夜六時からの水分摂取は控えてもらう、という話を聞いて、青ざめた。どんなにすばらしい高級老人ホームでも、夕方六時からお茶を一滴ものめなくなるのでは生きた心地がしない。せめてお茶くらい、好きなだけのませてほしい。そういうホームに入らずにすめば、と心から願う。

友人の家でお茶を出されると、あまりにお代わりをするものだからあきれられる。そのうちに小さな湯のみを、大ぶりの湯のみに替えてくれる。勝手を知っていて、わたしが行くと、「はい、これね」と大きな湯のみを選んでくれるお宅もある。寿司屋の湯のみなど、最高だ。

どんどん茶をのんでどんどん排泄すると、からだじゅうから老廃物が出て清められる感じがする。だから腎臓に故障のあるひとや、前立腺肥大で排尿に困難があるひとには同情する。お茶っぱらで、トイレに通う快楽は、あきらめたくない。

おっと、和菓子の話だった。

和菓子は十個、二十個と店からとりよせた。来客の手みやげはひきもきらず、全国津々浦々の銘菓がいつでもテーブルにあった。盆暮れの進物には、好みを知ったひとたちからの甘いものがあふれた。毎年、とらやの羊羹を東京から送ってくれるひとがいたせいで、わたしは「とらや」をすっかり東京のお店とかんちがいしていた。京都に出て「とらや」の本店を見つけたときには、だまされた感じがしたものだ。とはいえ、あとから故事来歴を聞くところによれば、明治天皇が東京へ遷都したときに、大好物の「とらや」の羊羹が忘れがたく、一族を東京へと引き連れていったのだという。だから「とらや」の本店の所在地は東京と京都、どちらも正解ではある。

育った町、金沢も、学生時代から長く住んだ町、京都も、和菓子がおいしい町だ。名店ばかりでなく、街角の小さなお店のクオリティが高い。そういうお店で、日持ちのしない生菓子を二個、三個と買い求めるのが楽しみだった。

なかの餡が透けて見えそうな道明寺粉の桜餅。よもぎの薫り高いよもぎ餅。持って歩いているだけでくずれそうな水羊羹。手の込んだ練り切りや工芸菓子よりも、そういうシンプルでベーシックな和菓子が、あたりはずれなしで手に入るのが、京都のよいところである。

そういう店には寡黙なじいさん、ばあさんがいて、手仕事で日商いをやっている。観光案内などには載らない店だ。口コミだけで客が来る。

きわめつきが、洛北にある。

年に三か月、丹波栗の季節にだけ、栗かのこをつくる。もう高齢のおじいさんとおばあさんがふたりだけでやっている小さな店だ。大ぶりの丹波栗を茹でて、中身を掻きだし、べつに炊いた丹波小豆の餡とさっくりとまぜて茶巾絞りにしただけの、ベーシックと言えばベーシックきわまりない和菓子である。栗と小豆、どちらの素材にも自信があり、餡の炊き加減が絶妙でないと商品にならない。甘さを抑えた餡の味といい、それにからんだほくほくした栗の加減といい、世の中に栗一〇〇パーセントの栗きんとんの銘菓は多いが、それに勝るとも劣らないうまさである。

この店はこの品を予約でしか売らない。それもばら売りなしの十個単位だ。受けとりに行くと、愛想の悪いオヤジが、とっとと持ってけ、というふうをする。忙しいのか、「領収書は事前に頼んだ人にしか出しません」と貼り紙がある。たしかに季節のあいだ、朝から晩まで何キロもの丹波栗を茹でて掻きだしつづけるのはたいへんな作業だろう。

パッケージはまことに愛想なしのプラスティックケース。その注意書きにこうある。

「この品は当日中（午後十一時まで）にお召しあがりください。冷蔵庫に入れますと翌日まで日持ちはいたしますが、風味は三分の一になります。」

十個のうち一個だけには紙が敷いてあって、つまめばすぐに取りだせるようになっている。待ちかねて受けとると、すぐに最初の一個の敷き紙を引っ張る。あっというまにぺろりと食べて、家へ持ち帰るまでに二個は口に入っている。

それから友人のだれかれに声をかける。夜十一時までに十個を食べなければならないからだ。近くの友人にも配達する。夕食を食べ終わったあとでも、甘いものは「別腹」で、もう二個は入る。

うるさそうなじいさんの顔を思い浮かべながら、ええい、知ったことか、夜十一時を越してもかまうものか、と食べ残しを冷蔵庫に入れるときの罪悪感と言ったら！

翌朝食べたからといって、「ちがいがわかる」ほど繊細な舌の持ち主ではない。翌日だってじゅうぶんに美味《おい》しいのだが、うしろめたさが払拭できないだけだ。

年に一度の、この洛北の栗かのこが秋の醍醐味だった。九月になれば、そろそろかしら、と洛北へ走った。京都を離れるときには、この店の栗かのこが食べられなくなるのが哀しかった。覚えてくれている友人が、訪れるとわたしのために用意しておいてくれたりしたが、こればかりは持ち帰ることができない。あるとき、クール宅配便という便利なものがあると、親しい友人が冷凍して送ってくれた。まさか、と思ったが、自然解凍して食べてみたら、遜色のない味だった……。ま、多少のちがいはあるが、それも許容範囲である。

だが、あのじいさんの顔を思い浮かべると、お店に冷凍品をクール宅配便で送ってください、とはとても頼めそうもない。じろり、とにらまれて、それっきりになりそうだからだ。

毎年、季節が来ると、店のじいさんとばあさんは一歳ずつ歳をとる。わたしがその店を知ったのはいまから二十年も前のことだから、あのじいさんとばあさんも二十年以上歳をとったことだろう。後継者のいそうもない小さな店のことだ。ふたりで力を併せてやってきたしごとでは、じいさんかばあさんのどちらかにふつごうが起きたら、それだけであのお店はなくなるだろう。究極の期間限定の和菓子ということになる。

伝統とはこういうものを言うのだろう。維持するにかたく、滅びる運命にある。

もう少し歳をとったら……「あの味」を覚えている友人たちとともに、「あのおじさんとこの栗かのこ、おいしかったねえ。夜十一時までに、なんて時間指定してあってさ……」と昔話にふけりたい。

かすていら

和菓子の双璧が最中と羊羹だとしたら、それに匹敵する洋菓子の双璧は、シュークリームとかすていらだと思う。どちらもベイシックな素材がけれんみなく詰めこまれている。そう言えば最中とシュークリームは、皮のなかに「基本のき」であるあんことクリームが入っている点でも似ている。羊羹はかすていらとは似ていないが、ごまかしが効かないという共通点がある。わたしは羊羹は苦手だが、シュークリームとかすていらは大の好物だ。

ところで、かすていらは洋菓子だろうか？

うーむ、この問いはむずかしい。

かすてらではなく、やっぱりかすていら。ポルトガル人によって、かつてのスペインの王国カスティーリャのお菓子として日本に持ちこまれたという。カスティーリャのお菓子だからかすていら。

ポルトガルからはいろいろなものが到来したはずだが、そのなかで日本に残った菓子は、かすていらとぼうろ。そのふたつには共通点がある。小麦粉と卵、それに砂糖しか使っていない、つまり西洋のクッキーや焼菓子に入っている油脂分がゼロという点だ。ふしぎなことだと思う。

肉食を禁じた当時の日本にはバターがなかった事情はわかる。中国の焼菓子には乳製品は使わないが、豚脂（ラード）を使う。沖縄のクッキー、ちんすこうにも豚脂が入っている。獣脂がなければ植物油でもOKだ。クッキーに油脂を加えるのは常識だし、スポンジ台にオイルを足すとしっとりとおいしいシフォンケーキができあがる。それなのになぜ？

かすていらはシンプルなのにつくり方がむずかしい。しろうとは挑戦しないほうがよい。卵をかきまわしてうんと泡立ててから小麦粉・砂糖と混ぜて型に入れて焼く。泡立て方がじゅうぶんでないと、分離して卵が沈む。いまでは電動泡立て器があって、いっきにウィーンとやってくれるが、昔は大きめの茶筅《ちゃせん》のようなものでせっせと泡立てたのだろう、想像するだけでも肩が凝りそうだ。

洋菓子のなかで、桐の箱のなかに入って来るのはかすていらだけだ。子どもの頃のかすていらは、病気のときにしか口に入らない滋養品。お見舞いに持って行く高級品だった。

わたしがかすていらを好きだと知っている方たちから、何度もいただきものをした。なかでもハイライトは、ヨーロッパに滞在していたとき、お誕生日に航空便で届いたかすていらだった。桐の箱に入ったかすていらはいかにも高級そうだったが、それより航空運賃のほうが高くついていた。

さて、と考えたのは、これをヨーロッパ人に食べさせても値打ちがわからないだろうな、ということ。なんだ、これ？　デコレーションのないただのスポンジケーキかい？　と言われたらおしまいだ。そんな反応が返ってきたら悔しいので、彼らには食べさせない、と決めた。代わりに、現地の数少ない日本人の友人たちに、後生大事に「これはね……」と解説つきでお裾分けしたものだ。

やっぱりかすていらは和菓子、なんだと思う。


ポルトガルを旅したとき、ヒッチハイカーの青年と知り合った。大学生だというその青年は、ポルトガルの歴史についてよく知っていた。十六世紀には、わたしの国とあなたの国にはずいぶんと交流があったのよ、その証拠には日本語にはあなたの国のことばがたくさん残っている、たとえばかすていら、ぽんと、たんと、じゅばん……。京都の先斗町《ぽんと》は橋（ポント）がたくさんかかっているところから来たものだし、たくさんを意味するタントもともとはポルトガル語、それに襦袢はスカートを意味するジュボンから来たという。「十六世紀……」とその青年は、遠くを見る目をしてくりかえした、「ぼくらの国の黄金時代」と。栄華を誇ったポルトガル王国はあっというまに凋落していまは見る影もない。ポルトガルはEUのうちの最貧国のひとつに転落した。あれほどたくさんあった植民地から、たくさんの富を収奪し、南米からは膨大な金銀を略奪して本国に運びこんだのに、それを右から左に横流しして奢侈《しゃし》に消費し、富の蓄積も次世代への投資もしなかった。そのあいだにせっせと蓄えを産業資本につぎこんだ当時はまだ貧しかったイギリスに、軍事的にも経済的にも追い抜かれ、世界の三流国になってしまった……彼の脳裏にはこういう世界史のシナリオが入っていたにちがいない。

世界史のなかには栄枯盛衰がある。だが、歴史は自然現象ではないのだから、祇園精舎の鐘の声のように、生者必滅と国の運命を同じに見ることはできない。ほとんどの国家の繁栄と凋落は、人間がもたらしたものだ。言いかえれば、衰退も滅亡も、人災と言ってよい。

いつの時代も、おろかなリーダーを持った国が滅びる。彼の口調には、あの祖国の黄金時代は二度とふたたび来ない、という詠嘆の響きが混じっていた。

そう言えば、日本語のアリガトウは、ポルトガル語のオブリガードと音が似ている。オブリガード、オブリガードと何度も舌に転がしていると、なんとなくアリガトーに聞こえてくる。これだってもとはポルトガル語から来たんだと主張するポルトガル人に出会った。感謝の気持ちを知らない当時の日本人に感謝を教えたのは実はポルトガル人だったのよ、と彼女は言って笑った。

いま派遣切りの憂き目に遭っている日系ブラジル人たちがこれを聞いたらどう思うだろう。ブラジルのひとたちの母語はポルトガル語だ。ポルトガル人たちが緑豊かなブラジルの大地を植民地にして、そこに黒人や先住民を労働力として投入した。のちには日本人も移住するようになった。その日系移民の子孫たちが、今度は日本に労働者としてやってくる。多くは製造業の期間工としてである。自動車産業の不景気のせいで、このひとたちが割りを食っている。景気のいいときには自分たちを利用しておきながら、不景気になると情け容赦もなく切り捨てる、日本人には感謝のことばを教えたが、感謝の気持ちは教えなかったんじゃないか、と言うかもしれない。

このブラックジョークをわたしに教えてくれたポルトガル人女性は、長いあいだリスボンの日系企業で日本人ビジネスマンを上司として働いてきたひとだった。腹にすえかねることもあったのかもしれない。

おっと、かすていらの話だった。

ポルトガルを旅して本場で口にしたほんもののかすていらは、ただのぱさついたスポンジケーキだった。

そういうものかもしれない。

かすていらの種は日本の土地に蒔《ま》かれて、もとの実とは似ても似つかない華麗な変貌を遂げたと思えばよいのだろう。りんごもしかり、マンゴーもしかり。日本に移植された果物の多くが、原産地では想像もつかないようなみごとな芸術品になりかわる。かすていらはその意味でも、世界のどこにもないほんものの和菓子なのだろう。

母の味

「母の味」を問われて、とっさに浮かんだのは焼きりんごだった。

焼きりんごと言えば、ケーキ屋さんにはないし、ふつうレストランにも置いてない。家でつくるしかない家庭の味だった。

毎年、紅玉の季節になると、母の傍らで見よう見まねをしながらりんごの芯をくりぬく。そこに砂糖をぎっしり詰めてバターでふたをし、天板に並べる。火にかけてしばらく経つと、バターが溶けてりんごが皮ごと焼けるいい匂いが部屋中に漂ってくる。アルミフォイルなどという気のきいたものもない時代のことだ。蜜が天板に滲みだし、ほんのりピンク色に染まる。それを掻きだしては舐めるのが、子どもの特権だった。焼きたてもおいしいし、冷たくなってもおいしかった。わけてもすっかり柔らかくなって口のなかでとろけるようなりんごの皮を食べるのが楽しみだった。

どこにもない味。母がつくってくれた以外には、ほかで食べたことがなかった。だから、「母の味」と思いこんだ。

いまでも年に一度、紅玉が出まわるようになると、思いだしたように焼きりんごをつくる。気づかぬうちに紅玉の季節が過ぎてしまっていたりすると、何か忘れ物をしたような気になる。焼きりんごをつくるのは、亡き母を追悼する儀式のようなものになった。

わが家には、オーブンがあった。そのままガスの火の上にのせる旧式のオーブンだ。昭和三十年代のことだ、珍しかったにちがいない。

天火鍋もあった。厚い鉄鍋のまんなかにドーナツのように穴が空いていた。そこにケーキのたねを流しこんで、七輪にかけた。しばらくすると香ばしい匂いが漂って、ドーナツ型のスポンジ台が焼けた。それから無塩バターを練りに練って、食紅を入れてデコレーションをほどこす。銀色のビーズのような玉や、虹色のかけらをその上に散らす。毎年、クリスマスになるとそうやってホームメードのケーキを焼いた。こってりと濃厚で甘いバタークリームが、絞りだし袋の最後に残る。それをすくって舐めるのも、子どもたちの特権だった。

食のマーケッター、岩村暢子さんに、日本人の食生活調査の三部作、『変わる家族　変わる食卓――真実に破壊されるマーケティング常識』（勁草書房、二〇〇三年）、『〈現代家族〉の誕生――幻想系家族論の死』（同、二〇〇五年）、『普通の家族がいちばん怖い――徹底調査！　破滅する日本の食卓』（新潮社、二〇〇七年）がある。それを読んで、驚愕した。わたしたちの世代が「母の味」として覚えているものは、伝統食とはまったくちがう、と知ったからだ。

岩村さんの書くものには、デビュー作から注目していた。彼女はアサツー　ディ・ケイというマーケティング会社の研究員。だれに頼まれたわけでもないのに、「食DRIVE®」という自主研究をやっている。食卓という日常のディテールに眼をつけたところがすごい。調査対象者に徹底的に食卓の記録をつけてもらい、ウソの申告ができないように、写真も撮ってもらう。

調査の対象は三世代にわたる。一九六〇年代以降に生まれた新人類主婦（四十代）と、その次の団塊ジュニア世代（三十代）の主婦。そしてその新人類主婦を育てた親世代（六十代）の主婦。戦中派というより、疎開体験と飢餓体験を持つ戦後育ちの世代である。三部作のサブタイトルにある「破壊」、「幻想」そして「破滅」は、それぞれの世代に対応している。新人類世代で日本の家庭食は「破壊」され、その次の団塊ジュニア世代では「破滅」した。そしてその変化は急に起きたわけではなく、食文化を伝承するはずの親世代の家族像は、「幻想」にすぎない、と。

　彼女のレポートする現代家族の食卓はこうだ。

「個食」化が進行したあげく、家族全員が揃って食事するのは週に二回もない。しかも同じものを食べるわけではない。外食でも内食でもない、中食《なかしょく》が普及し、テーブルの上には、買ってきたお総菜や調理済み食品が並ぶ。レトルト食品やコンビニ弁当がそれに加わることもある。好ききらいがあれば、だれもそれを強制せず、好きなものを好きなだけ、食べる。並んだ食べ物を一瞥して、気に入らなければ手を出さずに、自分でカップ麺をつくって食べる家族もある。食のしつけもなく、箸の持ち方もだれも教えない。

　好きなものを好きなだけ、はバイキング食である。子育て期の母親に、「お子さんは、ちゃんと栄養バランスのとれた食事をしていますか?」と問いかけても、「さあ、食べているんじゃないですか」とあいまいな答えしか返ってこない。バイキング食のなかから、子どもが何を食べたかのチェックはしない。

　すでに現代家族は「個食」から「バラバラ食」へと変化している、と岩村さんは指摘する。一家四人がひとりずつ食事時間がちがうだけでなく、食べるものもちがう。食卓にカップ麺、菓子パン、パック入り総菜が並び、それをてんでの好みで選ぶ「ビュッフェ」スタイルだ。家族はもはや「同じ釜の飯」を食べる仲間ではなくなり、食卓を共にするだれが何を食べているかに、主婦は頓着しない。いやがるものを無理強いしない、好きなものは最優先するという食習慣は、クリスマス・ケーキでさえ、四人家族の「好み」がそれぞれちがうせいで互いに折り合わず、ホール・ケーキはあきらめて、四種類のピース・ケーキを買ってくるはめになる。

「バラバラ食」で育った世代は、すでに二世代めに入っている。こういう食生活で育った夫も、自分の好みを最優先する。独身時代に会社の帰りにコンビニに寄って新製品の弁当をチェックする習慣のあった男性は、結婚してもこの習慣がなくならず、家で妻が食事の用意をしていることがわかっていても、好きな弁当があればためらわず買ってくる。それが食卓に共に並んでも妻も何も言わない。

　こんな食の現実に、「グルメ・ブーム」はどうなったんだ？　と思われる向きもあろう。岩村さんはそれについても皮肉な観察をつけくわえる。

「わが家はみんなグルメで、味にはうるさいんです」と申告する主婦の言う「グルメ」とは、たかだか、既製の「焼き肉のたれ」を特定の銘柄にこだわることにすぎなかったりする。調査者としての彼女は、ひとが「言っていること」ではなく、「実際にやっていること」を重視する。そしてその「落差」こそが、研究の対象になる。

伝統食の崩壊はもっと早くから進んでいる。それがいちばんはっきりあらわれるのは正月のようなハレの食事だ。「現代主婦」は、お正月にいっこうに興味を示さない。おせち料理は実家の母か夫の母がつくるものと決めこみ、「お客さま」をしにどちらかの実家へ行くが、それさえうざいからやめたい、と思っている。「嫁」としての手伝いを要求されるなど、もってのほか。親の世代がおせちをつくるのをやめれば、それを受け継ごうとも思わない。おせちはやがて、デパ地下で買う飾りものの一種になるだろう。

岩村さんはこれを「崩食」と呼ぶ。彼女の歴史研究がおそろしいのは、この「崩食」が、すでに敗戦後、新人類の親の世代から、始まっていることだ。

戦後の日本の食卓は、伝統食を、まずくて栄養価が低いと、見捨ててきた歴史だった。油を使って栄養価を高めましょうというので、「一日一回フライパン料理」というかけ声が農村の新生活運動のなかで唱えられたのは五〇年代。それで育った娘が結婚して主婦となった八〇年代に、主婦の「よくつくる料理ベスト・スリー」は、カレー、野菜炒め、ハンバーグの順だった。それを食べて育った二〇〇〇年代の主婦の食卓には、コンビニの総菜が並ぶ。「食の崩壊」と「伝統の断絶」は、もっと昔、敗戦後の世代に、とっくに起きていた……。

母の味。そう言えば、育ち盛りのきょうだい三人が、チーズの入った濃厚な味のドレッシングで山のように食べた野菜サラダも、わたしの大好物だったオムライスも、母の世代が、子どもの頃には食べたことのないものばかり。

北陸の地方都市で育った母が、そんな料理を食べて育ったとはとうてい思えない。母は自分が食べたことのないものを、子どもたちに食べさせていたのだ。

そうだったのか……それにしても、どこでそれを学んだのだろう？

通っていたキリスト教会の料理教室や雑誌の料理記事、あとになってテレビの料理番組などが、母の世代の情報源だったことだろう。家庭ではなくメディアが食文化の伝承の手段になったのはずいぶん前からのことだったのだ。

「おふくろの味」と男たちがなつかしむものが、これほど根の浅い「幻想」であったとは。そう思うとなんだかわらえてくる。

もし、わたしが「母」だったら？　わたしのつくる「母の味」は？　と自問自答してみると、これもわらえてくる。

わたしは家では親の手伝いをしない娘だった。すでに子どもには手伝いより受験勉強が優先される時代だった。実家の食の伝承はわたしの代でとぎれ、そのかわりわたしは、家を出てから学生時代を過ごした京都で、料理を覚えた。それも京都で言う、おばんざいの並んだ一杯呑み屋のカウンター席で。

「おばちゃん、これ、どないしてつくるん？」

と聞きながら、呑んべえ用に覚えた味が、わたしの味だ。もし子どもがいたら、それを
彼／彼女は「母の味」と呼ぶのだろうか。

とても他人さまのことを、嗤えない。

好奇心

好奇心の強い子どもだった。

夏休みの課題研究で、妙なことを思いついた。

家の前の道路に、小銭を落としておく。通行人のうちの何人、気がつくか。そのうち何人が拾うか。……それを物陰に隠れて観察し、計測するというレポートを提出したことがある。

さて、いくらにするか、それが問題だ。アルミの一円玉ではアスファルトの上で目につかないし、気づいても無視される可能性がある。十円玉は、実験への投資にしては、子どもには高くつきすぎる。もし拾っていくひとたちが多ければ、補充しなければならないし。で、五円玉と決まった。昭和三十年代のことだ。

じっとしているだけで汗が噴きでるような夏の日だった。結局、疲れて二、三時間もしないうちに撤退したのだけれど、地面の落とし物に気がついた通行人はごくわずか、そのうち目をとめて拾ったひとは、ひとりかふたりだっただろうか。住宅街の道路は、通行人そのものが少なかった。そもそも、地面に視線を落としながら歩くひとが少ないことを発見したのは収穫だった。

え？　こんな発見、なんの役に立つのか、ですって？

な〜んの役にも立ちやしない。

ただただ、おもしろいから。にんげんというものが、どんな行動をするか、それが知りたいから。この五円玉を十円玉にしてみたらどうなるだろう？　百円玉なら？　場所を変えて、繁華街にしたら、あるいは学校の廊下にしてみたら、どう変わるだろう？　たとえ目についても、周囲を気にして拾わないひとが増えるだろうか？　と問いは広がる。

あとになって、この方法が、定点観測という手法だと知った。今和次郎《こんわじろう》というひとが発案した考現学という学問の手法のひとつだ。一八八八年、青森生まれの彼は、東京美術学校へ進学して、明治から大正にかけての日本の都市風俗にびっくりした。一九二五年には、銀座街風俗の定点観測をして、『婦人公論』に発表。銀座の町並みを歩く紳士淑女の服装と髪型が、洋装か和装か、洋髪か和髪か、を分類して数字を出した。

それによると西洋髪は四二パーセント、日本髪は三一パーセント、折衷型が二七パーセント。男性がほぼ一〇〇パーセント西洋髪なのに対し、女性の断髪はゼロ、日本髪率が高い。文明開化の影響をまっさきに受けたのは男たちで、彼らはむしろ、断髪洋装の女性をけむたがったことだろう。背広の紳士のあとを三歩下がって和髪・和装の女性の歩くすがたが目に浮かぶ。

こんなことを知って、なんの役に立つだろうか？　この年に男子普通選挙法が成立したことや、その後日本が日中戦争へと雪崩《なだれ》こんでいったことなどについて、この情報は何も教えてくれない。だが、欧化の影響が男女で大きくちがうことや、欧化がまず服装より髪型から始まることなどが、見てとれる。

なにより、好奇心を満足させる。ふーん、へえ、はあ、と納得したり、驚いたり。おもしろいじゃない。

考現学は日本生まれ。外国からの輸入学問ではない。考古学が埋もれた土器のかけらをあつめて全体像を復元するように、目の前にある脈絡のない断片をつなぎあわせて、「いま」という時代の全体像を浮き彫りにすることをめざす。だから、考古学にならって、考現学だ。対応する西欧のことばがないので、考古学を意味するアルケオロジーをもじって、モデルノロジーと称した。

同じ頃、民俗学者の柳田國男が、『明治大正史　世相篇』（朝日新聞社、一九三一年）を出した。序文に「故意に固有名詞を一つでも掲げまいとした」とあるこの書物には、「時代の音」「田園の新色彩」「恋愛技術の消長」などが目次に並んでいる。民俗学と言えば、土地の古老に昔話を聞くこととばかり思っている向きには、この本は新鮮だろう。柳田は自分の目の前で急速に移り変わっていく流行や風俗の変化に目を奪われた。だから、主人公は、ひとや事件ではなく、少しずつだが確実に変わっていく景観や感覚なのだ。民俗学はほんらい「不易」と「流行」を共に対象とする学問だったはずなのに、不易のほうばかりが注目を集めて、流行を対象とする学問は育たなかった……。

進学して京都へ行ってみたら、こういう変化をおもしろがるひとたちの集まりがあった。ゲンプーケンこと現代風俗研究会という。創設メンバーには、桑原武夫さん、鶴見俊輔さん、多田道太郎さんなど、そうそうたる学者が名をつらねている。

わたしが社会学をめざしたのは、生きて動いているものに対する飽くことなき好奇心から。当時新興の分野だった社会学は、海のものとも山のものとも知れないだけに、なんでもあり、の関心を満たしてくれそうに思ったのだ。

実際に進学してみたら、がっかりした。大学の授業はマスプロ（大教室での講義）だったし、社会学のテクストに書いてある、「社会と個人」のなかには、女であるわたしの居場所がありそうに思えなかったからだ。行き場がなくてうろうろしていたわたしに、居場所のひとつを提供してくれたのが、ゲンプーケンだった。

世話役のひとりが法然院の先代住職、橋本峰雄さん。だから、ゲンプーケンの集会はいつも法然院の庫裏《くり》でおこなわれた。そこに学者やら学生・院生やら、デザイナーやらマーケッターやら、美容師やら、編集者やらがわやわやと詰めかける。所属も年齢も問わず、談論風発、風通しのよい集まりだった。

いまから思えば、桑原さんやら鶴見さんやらの大学者も、フランス文学とか哲学とかいうご自分のオモテ番組に対して、こちらのほうはウラ番組の楽しさがあったのだろう、忙しい先生方がまめに足を運んでおられた。

そこから生まれたのが、熊谷真菜さんの『たこやき』（リブロポート、一九九三年）とか、永井良和さんの『社交ダンスと日本人』（晶文社、一九九一年）などの著作である。大阪名物のたこ焼きは、どこでどうやって発祥し、どう普及していったのか？　男女席を同じうせずの日本人のあいだで、カップルが抱き合う社交ダンスが、戦前流行し、幾多のダンスクラブが生まれ、また衰退していったのはなぜか。最近また高齢者のあいだで、社交ダンスがリバイバルしているのはなぜか？

なぜ、なぜ、なぜ？　と問いを立ててみると、この世界は謎で満ちている。それを、つまらない質問だと一蹴せずに追いかけてみると、思いもかけない深い答えにたどりつく。よしんば、たいした答えでなくても、自分の好奇心を満足させられたら、それでいいじゃないか。学問なんて、しょせんは死ぬまでの手すさび、自分がすっきりしたいだけの極道なんだから……というハラをくくった楽しみ方を共有するひとたちがいた。関西人のいちびりこと、おもしろがりの精神である。

最近になって外国からカルスタことカルチュラル・スタディーズというしろものが輸入されて、「韓流ドラマの受容研究」とか「ロック音楽の文化社会学」とかが登場すると、なぁーんだ、関西の研究者たちは、半世紀も前からそんなこと、やってたわ、と思ったものだ。

社会学を志すひとの条件は、「一に好奇心、二に尻軽さ、三、四がなくて五に知力」……わたしはいまでもそう思っている。

記憶

小学生のときからの友人と何年ぶりかで会って、おしゃべりしていたときのことだ。ディテールと精彩に富む友人の思い出話に、くらくらした。

「ね、覚えてるでしょ」とたたみかける友人の話に追いつこうと、頭のなかに懸命に検索エンジンをかけるのだが、どこも空白で、探索はあてどなく空転する。

「ほら、あの学校の裏庭のところにあった花壇、あの隅にね……」と話を繰りだす友人に、あいまいな微笑を返すしかないわたしがいた。

聞けば聞くほど、友人の記憶はフルカラーで生き生きしている。わたしの記憶、と言えば、なんだか曇り空みたいにどんよりとモノトーンだ。年齢を重ねれば最近の記憶はどんどん薄れ、むしろ昔の記憶のほうが鮮明になるというが、わたしの場合はちっともそうならない。とくべつに記憶力が悪いからかもしれないが、どうやらそれだけでもなさそうだ。

虐待された子どもの経験が綴られた本を読んだとき、被虐待児の記憶はそこだけ飛んだり消えたりしているということを知った。あまりにつらい経験は、記憶を封印することで生き延びる知恵を、子どもなりに持っているらしい。わたしは被虐待児ではなかったが、この記憶のモノトーンぶりを見ると、よほどつまらない子ども時代を送ったようだ。かわいそうな子ども時代のわたし。抱きしめてあげたくなる。

ものごころついたときには、父と母が諍《いさか》っていた。母は父の横暴を嘆き、子どもたちに愚痴をこぼした。両親の諍いをふすまの後ろの闇のなかで聞きながら、おびえてじっと立ちすくんでいた兄とわたしを覚えている。長男の妻であった母と祖母の嫁姑関係もうまくいかず、父の姉妹たちが来ると小姑との軋轢もあった。小さいときから大家族のなかでふくざつな人間関係を見てきた子どもは、核家族で育った子どもとはちがう人間観を持っているという。その頃はワンマンの父を憎んだが、いまからふりかえれば、理解者のいない家族のなかでの家長としての父の重圧も孤独も、惻々《そくそく》と身に沁みる。

子ども時代の写真を見ると、わたしはちっともかわいげがない。実際にかわいげのない子どもだったのだろう。いまのわたしが子どもの頃のわたしに出会ったら、やはりかわいげがない、と思うだろう。無邪気な子どもらしい笑顔で写っている写真がない。父はわたしを溺愛し、わたしはその父の溺愛につけこんだ。父がわたしの写真を撮りたがると、ポーズをして見せる子どもがいた。

でも、とあえて言うが、子どもにかわいげがないのは、子どもの責任ではない。

わたしは塀のなかで過保護に育てられ、近隣の子ども集団から隔離された。学校から帰ったらカバンを放り投げて遊びに行くご近所仲間はいなかった。わずかにいた友だちのところへすら、約束をしてから、しかもお誕生会といった限られたときだけにお呼ばれをしていった。男きょうだいに囲まれていたから、兄や弟と西部劇ごっこやちゃんばらごっこはしたが、しょせん塀のなかの遊びだった。塀の外にあこがれはあったから、塀の上に登って隣家の庭を覗くのが楽しみだった。だからといって、塀の外に出て行く知恵も勇気も持ち合わせなかった。

世間知らずだったから、父の選んだ中学校へ行き、父の選んだ高校へ行った。運転免許をとりたいと言ったとき、「女の子はあんな苦労をしないで、助手席に乗っているものです」と父に言われて、ふーん、そんなものか、と納得した。自分でも信じられない。女の子は風が当たらないように温室に入れて育てるものですという父に抗して、県外の大学を選んだのが、自分で決めた人生で初めての選択だったが、それというのも、このままこの家にいたらわたしはダメになる、と直感したからだ。外に出たのは正解だった。そこから初めて、わたしの人生は始まったようなものだからだ。人並みの苦労をして、ようやくわたしは自分と社会とにめざめていった。

こんなに「育ちが悪い」のに、よくまあ、ここまで真人間に育ったものだ、とときどき自分をほめてやりたくなる。

あるとき、思いがこみあげて、母にこう漏らしたことがある。

「おかあさん、わたしはね、家を出てから、自分で自分を育てなおしたのよ。」

やっとの思いで口にしたことばに対する、そのときの母の反応に、絶句した。

「そんなら、結局、わたしの育て方がよかったってことじゃないの。」

母親、という名の生きものには勝てない。


「きっとかわいげのない子どもだったんでしょうねえ。」

「いいえ、ちづこちゃんは、とってもかわいい子どもでしたよ」とそのひとは言った。わたしが赤ん坊のときに、おしめを替えてくれた女性だ。医院を開業していた父のもとで、住みこみのお手伝いをしていた彼女は、当時十代だった。わたしが三歳になる前に、そこを離れた。子どもに三歳までの記憶はない。だからわたしは彼女を覚えていないが、彼女のほうはわたしを覚えている。おむつを替えたという相手には、一生あたまがあがらない。

母は何かというとわたしの育てにくさについて愚痴をこぼしていたから、わたしは子どもの自分が、母にとって困った存在だったのだろう、と思いつづけてきた。子どもの頃の記憶は、自分自身によってよりも、周囲が「おまえの子どもの頃はね……」という昔語りによって再構成されることが多い。自分の子ども時代をふりかえってみてもあまりうれしい思い出がないのは、親たちによる記憶の刷りこみにも原因があるかもしれない。

だが、そのひとはわたしの記憶を修正してくれた。わたしの覚えていない過去を、そのひとは覚えている。両親を喪ったいま、わたしの子ども時代を覚えてくれている数少ないひとのひとりだ。

彼女は満州からの引き揚げ者。苦労して戦後を生き延び、わたしの父のもとでしばらく過ごしたあと、思いきって東京へ出て、結婚して家庭を持った。成人したふたりの娘と、互いに敬愛の情を抱いている夫とのあいだに、安定した暮らしを送っていた。父の長い闘病中、愛らしい絵柄に清らかな筆跡で、さりげなく季節の便りを告げるはがきを折にふれて送ってくださった。そのはがきを、父の枕元で読みあげるのがわたしのしごとだった。父を見送ったあと、はがきでしか知らなかったその方に、病床の父を慰めてくださったお礼の気持ちをお伝えしようと、東海地方のお住まいをおたずねした。その折の会話である。

そのひとの記憶のなかにいる子ども時代のわたしに出会って、固まった記憶がほろほろとほどけていく気分を味わった。

　占領軍のアメリカ兵士と日本人女性のあいだに生まれたノーマ・フィールドが『へんな子じゃないもん』（大島かおり訳、みすず書房、二〇〇六年）のなかで、印象的なエピソードを描いている。見るからに異邦人の容貌をした孫娘を世話していた祖母が、どれほど「へんな子」を肩身狭く感じていたのだろうかと忖度《そんたく》して、おとなになった彼女は、死の床にある祖母とこんな会話をする。

「おばあちゃま、へんな子をお医者さんのところに連れていくのは、いやじゃなかった？」

「へんな子じゃないもん。自慢の子だもん。」

　祖母の記憶のなかにある自分、「へんな子じゃないもん」という一言が、彼女にとって死にゆく祖母からのもっとも甘美な贈りものとなる。

　他人の記憶のなかにいるわたしはわたしの知らないわたしだが、その他人に恕《ゆる》されているわたしを、わたし自身が恕してもよいと思える。そんな記憶を持ったひとを、大切にしたい。

W《ダブリュー》坂

金沢は河岸段丘の街である。犀《さい》川と浅野川というふた筋の川が台地を削り取って自然の要害をつくり、そのふたつの流れに挟まれた台地の上に、加賀百万石の金沢城がある。兼六園はこの城に付設した前田家の庭園である。市の中心部はこの台地にあるから、そこへ行くには台地を上がったり降りたりしなければならない。おのずと坂道が多くなる。

わたしの通っていた高校は、県立の共学校。二水高校という。名前は「ふたつの流れ」から来ている。「なら、二流高校なんだね」と友人たちとわらいあった。県外にも名のとおっているような名門進学校ではなかったからだ。前身が第一高女という女学校だったこともあって、「お嫁にするなら二水の卒業生」と言われるほど女性優位の共学校で、硬派というより軟派の学校だった。

「青春を謳歌する」はずの高校生活が、楽しいだけのものであるわけがない。

十代の半ば。もう子どもではないが、おとなにもなりきれていない。将来は見えず、自分が何者かもわからない。親の家を出るために進学はしたいが、勉強は退屈で、何のために勉強するのかもわからない。親の管理を脱けだしたい気持ちはあっても、そのためには自分があまりに非力だと感じる。世間のことは何も知らないくせに、読み過ぎた本のせいで、人生に倦怠と失望をあらかじめ覚えてしまう。ときおり、爆弾を投げて世の中すべてをリセットしたいくらいのやり場のない憤怒と、いてもたってもいられない焦燥感が襲う。特異な高校生ではない。だれにとっても身に覚えのある十代の景色だろう。

とりわけ金沢という街は、過去が澱のように溜《た》まって、変化を拒む土地がらだ。ものごとが堆積し発酵する、腐敗臭すれすれの匂いがする。レヴィ＝ストロースの「料理の三角形」、煮たものと焼いたものそして腐ったもののうち、わたしはいまでも「腐ったもの」、つまり発酵食品が大好きだが、発酵と腐敗とは同じ現象の両面にすぎない。京都生まれの友人が、「嗜好」と書いて「老人の口に旨い」と解き明かしたのを、なるほどと納得した。腐ったものは、若者の口に合わない。

クラスメートにはサラリーマンの家庭は少なく、商人や職人、医者や僧職の息子や娘たちが多かった。友人をたずねていくと老舗の奥の暗がりから、声がかかる。少子化が進んでいたわたしたちの世代でも、長男・長女は家業の後継者としての役割をその年齢ですでに自覚しており、分相応の人生を歩むことにあきらめに似たわきまえを持っていた。

この腐ったような退屈な街で、わたしは母のような人生を送り、祖母のように老いていくのか……何をしたいかはわからなかったが、何がイヤかだけははっきりわかった。


高校は犀川の西、寺町台にあった。自宅も寺町台にあった。新しくできた教育センターは中心部の台地、お城の近くに位置していた。図書館があって便利なだけではなく、その当時は珍しかった冷房があったために、とりわけ夏はそこへ通って受験勉強をするのが地元の高校生の習慣だった。高校からそこへ通うには、必ず通らなければならない坂道がある。それがW坂である。

寺町という名のとおり、各宗派の寺が密集した路地を抜けて、急な斜面を犀川畔に降りると、桜橋という兼六園へつながる橋に出る。その名のとおり、桜橋は、花の季節には桜が河畔にあふれる美しい橋で、そのたもとには、犀川から筆名をとったといわれる室生犀星の「杏《あんず》っ子」の歌碑がある。その急な傾斜地に石段で坂道をつくり、それを横から見るとアルファベットのWを横倒しにしたように見える、というのでW坂と名づけられた。クルマも通れない狭い石段の道を、桜の老樹が覆っていた。

春夏秋冬、何度この坂道を通ったことだろうか。満開の桜の季節には、花弁が雪のように舞い落ちた。花の終わりには、厚く敷き詰められた花びらを蹴って歩いた。葉桜の頃は青葉が川面の景観をしだいに覆い隠し、夏は蟬がうるさいほど鳴いた。秋には桜の落ち葉が石段を埋め、歩くたびにかさこそと音がした。真冬にはすっかり葉を落とした枯れ木のあいだから、雪に覆われた市街地の瓦屋根が見えた。

日差しがまばゆいときも、たそがれの薄闇のなかも、とっぷり日が暮れた闇のもとでも、この坂道を歩いた。香林坊という繁華街の裏通りにある喫茶店で珈琲を喫《の》むことを覚えてからは、この坂道を通って寺町台にある家へ帰るのがルートになった。香林坊の裏通りには、リバイバル映画を三本立てで上映している映画館があって、そのシートの暗闇に腰を下ろすことも覚えた。どちらも高校生には禁止されていたが、だからこその禁断の楽しみだった。

もう少しおとなになって酒を呑むことを覚えてからは、犀川の川岸で川風にあたって酔いを覚ましてから、この坂道を登って親の家へ帰るのが習慣になった。

W坂。その名前を聞くたびに、胸苦しい思いがする。

いつも下を向いて歩いていた。だから階段や石畳、桜の葉陰や足で掻き分けた枯れ葉の音ばかりを思いだす。実際葉陰の濃い坂道からは、眼下の景観は隠されてよく見えなかったのだが、冬になるとすっかり葉を落とした木立のあいだから見える町並みに、足を止めることもあった。金沢は瓦屋根の美しい古い城下町である。九谷焼の産地でうわぐすりのかかった屋根瓦が生産され、光沢のある黒い瓦屋根が波をうつ。それが雪に埋もれて眼下に広がる。観光客には美しいが、住むひとには困苦を強いる。足を止めて見る視線は、旅行者のものではない。わたしもこの街でこんなふうに暮らしていくのか……というため息のような思いをともなっていた。

江戸時代の越後の文人、鈴木牧之の書いた『北越雪譜』にあるように、北陸のひとたちの冬の暮らしは雪との闘いだ。ただでさえ重い瓦屋根から、これも重い北陸の湿雪を雪下ろししなければ建物がきしむ。雪の重さで、障子や襖など、建具が動かなくなる家はいくらもある。その瓦屋根の下、一軒一軒に、息をひそめて暮らしているひとびとがいる。妻に先立たれた老父が金沢でひとり暮らしをしていた頃には、毎日天気予報が心にかかった。雪かきをしなければ、表に出ることとさえかなわない。北陸地方は雪、という予報を聞くたびに、スコップを持つ力さえない老父はどうしていることだろう、と胸が痛んだ。父を喪って心底ほっとしたのは、北陸の天気予報を聞いても胸が痛まなくなったことだ。

わたしの郷里が金沢だと知ると、「金沢はいい街ですね」と言ってくださる方がいる。「ええ。旅行者にはね」と答える。いまでも、旅人としてなら、この街を訪れてみたい気がする。

ほんとを言えば、時間が堆積して発酵した古い街を、わたしはきらいではない。新興の郊外住宅地よりは、ずっとましだ。なんの係累もないわたしは、時折日本地図をぱたりと開ける……どこに住もうかしら？　松江、松本、松山、仙台……、どこも古い城下町ばかり。なぜだか「松」のつく地名が多い。金沢は？　親さえいなければ、選択肢に入っただろう。

この坂道をひとりで歩いたことも、ふたりで歩いたこともある。とつぜん肩を抱かれて小走りに逃げたこともあるし、片思いだった先輩と肩を並べて歩いて、胸苦しい思いをさとられまいと葉桜の闇の下でうつむいたこともある。

場所と風景に結びついた記憶は、体感をともなって鮮明によみがえる。W坂はそういう場所のひとつだ。そのとき、わたしの傍らにいたのがいったいだれだったかを忘れてしまっても、葉桜闇の濃密な気配、落ち葉の発酵する匂い、頬を刺す冬の川風とそのときの心象はくっきりと記憶にある。

わたしは孤独な子どもだった。わたしの十代も孤独だった。友人はいないわけではなかったが、たくさんはいなかったし、たくさんは要らない。いまでは人間関係に恵まれているとは思うが、だからといっておおぜいのひとにつねに囲まれているのは好きではない。

パーティのような集まりにはできるだけ出たくないし、食事をするなら五人以下がよい。いまでもわたしはひとりでいることがきらいではないし、苦にならない。

「友だちがつくれない」という相談に、精神科医の斎藤学《さとる》さんが答えた本に出会った。斎藤さんはこう書いている。

「あなたの一人でいられる能力は立派なものです。……『一人でいるのは悪いことだ』と思うのをやめましょう。」（『家族パラドクス――アディクション・家族問題 症状に隠された真実』中央法規、二〇〇七年）

彼の説明はこうである。

「みんなでわいわいやれる人っていうのは、浅いレベルでいつも自己表現ができてしまっていますから、『表現したい』ということを考えずにすんでしまいます。……『表現』には代償として孤独を支払わなくてはなりません。孤独を支払わない人は、楽しそうかもしれないけど、ただの人です。孤独な魂にしか作品は作れないんですよ。」

作品をつくれない「孤独な魂」もあるかもしれないし、作品をつくることが価値のあることだとはかぎらない。精神科医の言うことらしく、ただの気休めだと受けとることもできる。だが、たしかに作品を生みだすためには、自分のうちに経験を発酵させ、沈殿させるための「溜め」がいる。そしてそれは自分ひとりでしかできない孤独な作業だ。

子どもを産んだことのないわたしにも、この感覚はわかる。思いの種子をふところに抱いて、じっと待つ。時間の堆積のなかから発酵して育つものがある。鬼子かもしれないが、たしかにわたしが孕んで産んだ作品だ。

思い出が美しいのは、それが腐っていくものだからかもしれない。

2　好きなもの

声

このところ女性ヴォーカルのCDを、しきりと聴いている。

友人から紹介されたイタリア人の歌手、フィリッパ・ジョルダーノに耽溺し、それからイギリスの歌手、サラ・ブライトマンのCDを次から次に聴き、最近では、テレサ・サルゲイロにはまっている。そして自分がヴォーカル、それも女性ヴォーカルを聴けるようになったことに驚いている。

フィリッパ・ジョルダーノはシチリアのディーバ（歌姫）。美声と美貌を兼ね備えた音楽一家の末娘。彼女を見ていると、天はひとに二物も三物も与えたもう、とつくづく思う。三オクターブをらくらくこなしながら、オペラのソプラノ・アリアを、小節《こぶし》をきかせてはすっぱに唄う。オペラをポップスに変えた女、とその唄いっぷりに驚いた。オペラと言えば、ビブラートしない正調ソプラノと相場が決まっているが、そのお行儀よさとおしつけがましさがないのが、気に入った。

サラ・ブライトマンもオペラ歌手なのに、民謡やポップスを自在にこなす。ベルカント唱法でアリアを朗々と歌いあげるかと思えば、妖精のような声でイングランドの古民謡を囁くように歌う。処女のような可憐さから、「薔薇の騎士」の元帥夫人の熟女の悲哀まで歌いこむその幅広い歌唱力には驚くばかり。

テレサ・サルゲイロはファドの歌手。ファドと言えば、五木寛之さんが、「日本の演歌にもっとも近い」と入れあげた、ポルトガルの民衆歌謡。世界各地には民衆の愛好するポップスがあるが、ファドは、シャンソンほど洒脱でなく、カンツォーネほど朗々と歌いあげず、ブルースほど声量がいらない。暗い、穴蔵のような酒場で、もう若くない女がせつせつと歌うのにぴったりの歌謡だ。サルゲイロは美声だが、高音部がかすれ気味の声はお世辞にも声量があるとは言えず、女の声はつくづく悲鳴とすすり泣きに似ている、と思わされる。アルバムのなかには、世紀のテノール、フリオ・イグレシアスとのデュエットが入っているが、弾力とつやのあるフリオのテノールとの相性は悪く、悪い冗談でも聴いているような気がしてくる。

ヴォーカル、とりわけ女性ヴォーカルを聴くには、こちらに体力と気力がいる。器楽曲を聴くときとちがってあまりにからだにこたえるので、気力・体力の萎えたときには聴いていられない。魂を直撃してくるからだろう。

ヴォーカルへ至る過程は、ヴォーカルが聴けなくなっていったプロセスを、ちょうどテープを逆もどしするように、たどっていった。

その昔、オーケストラが聴けなくなった。あの圧倒的な音量とおしつけがましさが耐えられなくなったからだ。映像なら目をつむれば消える。だが、音はいやおうなく耳に飛びこんでくる。わたしはいまでもフル・オーケストラが苦手だ。これでもか、これでもか、構えて聴け、と強要される気分になるからだ。

好きなのは室内楽。弦楽器を中心とする小規模な楽団がいい。クワルテットかクィンテット、それもビオラやチェロなど、低音域の楽器がいい。まれに、超絶技巧の室内楽団が不協和音の多い現代音楽などを演目に選ぶと、かなしくなってしまう。音楽は、「音が楽しい」と書くのに、これじゃ「音《おん》が苦《く》」になってしまう、と思うから。あなたたちの演奏の技量は、こんな曲のためにあるのじゃないのに、と。現代音楽は袋小路に入った、とつくづく思う。

楽器のなかでは最初に管楽器がだめになった。人間の声にいちばん近いからだ。呼吸音や息継ぎの音も気にさわった。次に弦楽器が。とくにヴァイオリン高音部のむせび泣くような人間の声に近い音色には、耐えられなくなった。最後に残ったのはピアノとチェンバロ。ピアノのきっぱりした粒だった音と、チェンバロの倍音の多い金属質の音なら受け入れることができた。で、一時はグレン・グールドの弾くバッハのピアノ曲と、グスタフ・レオンハルト演奏のバッハのチェンバロ曲ばかり、聴いていた。というより、それしか聴かなかったと言ってもよい。世の中に、グールドとレオンハルトがいればそれでじゅうぶん、ほかの演奏家はいらない。グールドとレオンハルトを聴いて、どうして他の演奏家は嫉妬のあまり演奏家を辞めずにいられるのだろう、とさえ思った。

ヴォーカルは論外だった。

一日、ひとに会いつづけて、仕事から深夜に帰宅する。くたびれて口もきけない。テレビはすっぱりやめた。無遠慮に他人の声が飛びこんでくるのがわずらわしく、ましてやCMの騒々しさに、神経がやすりにかけられるような気がする。こちらが予定していないときにかかってくる電話もいとわしい。自宅の電話番号は他人に教えないようにした。携帯電話には長いあいだ抵抗していたが、亡くなった父が重い病気にかかったときに、やむをえず手に入れた。だからいまでも、携帯にコールがあると、何か不吉な知らせが、と予期してしまう。なんでもない電話だと、かえって不快になる。相手が悪いわけではない。だからたいがいの場合、電源が入っていない。自衛のためだが、これでは携帯の用をなさない。

音のない、しん、としたひとりの空間の孤独が、わたしの伴侶だった。

そのわたしが、こともあろうに女性ヴォーカルにはまるなんて。

最初に、弦楽器が戻ってきた。ヨーヨー・マのバッハの無伴奏チェロ組曲が、疲れのにじんだ遅い午後の友になった。バッハの無伴奏チェロ組曲はもともと好きで、いろんな演奏家のものを聴いたが、中国から彗星のようにあらわれた新しい才能、というふれこみで登場したヨーヨー・マの演奏は、ドイツのヘンリック・シェリングなどと比べると、重厚というより優美で、耳にも心にもやさしかった。あとになってNHKの「シルクロード」の再訪シリーズの主題曲を、ヨーヨー・マが作曲・演奏していることを知った。それもシルクロードの各地で活躍している演奏家たちを率い、かれらの伝統楽器と民族音楽の旋律をとりいれて。ヨーロッパ音楽の正統をたどったヨーヨー・マが、心から楽しそうに「わたしの音楽」を仲間たちと共に演奏しているすがたを見て、そうか、ここにたどりついたのか、と感慨を覚えたものだ。

それから思いがけず、管楽器のとりこになった。ミカラ・ペトリのリコーダー曲をドイツの友人宅で聴いて以来だ。だからいまでもミカラは、わたしのなかではドイツ風の発音のまま、「ミヒャエラ」である。

ペトリはスウェーデンの音楽一家の愛されて育った末っ子である。超絶技巧の持ち主なのに、それを感じさせないでらくらくと難曲をこなす。その音色はあくまで明るく、彼女の育ちのよさと人柄の無垢さを伝えてくる。

ジャズ・ピアニストのキース・ジャレットが、チェンバロでペトリの伴奏をしているのには驚いた。慈父のようなまなざしで、奔放な愛娘の脇役に徹する風情である。わたしにペトリを紹介したドイツ人の友人は、こう言ったものだ。

「聴いてごらん、このふたりには愛があるよ。」

まったく。デュオのとき、わたしは伴奏者の演奏に注意して聴く習慣があるが、自分が自己主張したい伴奏者のときには、演奏はうまくいかない。謡曲だって、芝居だって、主役ばかりがえらいわけではない、シテよりワキに力量が要求されることもあるものだ。キースは、つかず離れずの最高の「脇役」を演じていた。「愛」がなければ、こんなワキは勤まるものではない。

管楽器のなかでも、フルートより木管のリコーダーのほうが、音があたたかい。そのぶん、声に近い。

そして、声が戻ってきた。

声はおそらく人格にいちばん近い。他人の声を音楽として受けいれるようになって、わたしのなかに潮が満ちてくるのを感じる。

声の究極は、呼吸だ。聴いているのがすべて外国の歌手であることは、偶然ではない。知らない言語だから、音が意味として飛びこんでこないのがよいのだろう。自分の知っている言語だと、音より前に意味が伝わるから、うるさくて聴いていられない。意味はいらない。わたしはことばにあまりに偏した人間なので、声にまで意味が荷重されるとつらいのだ。

呼ぶ、叫ぶ、囁く、ため息をつく、そして呼吸《いき》をもらす。生きていることのもっとも基本がそのままアートになる。それが声だ。

なんという奇跡だろう。

そしてその喜びをしばらく忘れていた自分を思いだして、びっくりする。

夕陽

星の王子さまは、夕陽を見るのが好きだ。

王子さまは、小惑星B612に住んでいる。ちっちゃな星だから、すぐに日が沈む。そして沈んだ夕陽をまた見たいと思えば、椅子を動かしてもう一度、見ることもできる。

王子さまは、あるとき、そうやって一日に四十四回も、夕陽を見た。

それほど哀しかったんだね。

ひとはどうして哀しいときに、夕陽を見たくなるのだろう。

日没、斜陽、落暉《らっき》……と、夕陽をあらわすことばは、どれもせつない。

夕陽を見ることのできる土地に住むのが、夢だった。

それもできれば、山にではなく海に。水平線に夕陽が沈むのを、毎日見て過ごせたら、と夢見た。歳をとって、引退したら、西に面した海辺に土地を買い、小さな家を建てて住もう、そして毎日ゴージャスな入り日を見て過ごせたら、どんなに心が満たされることだろう……と。

『八月の鯨』という映画がある。当時すでに七十代と九十代になっていた往年の女優、ベティ・デイビスとリリアン・ギッシュとが、あまり仲のよくない姉妹を演じていた。アメリカのメイン州、アウトドアで有名な景勝の地が多く、インテリが引退後の場所に選ぶことで知られている。その海岸の家に老姉妹が住んでいる。いくつになってもわがままな姉とそれに仕える妹、そこにロシアからの亡命貴族というふれこみのあやしげな老紳士がからんで……というお話。そのふたりが、八月のある日、「鯨よ、今年も鯨が来たわ」と少女のような歓声をあげる。それがふたりの和解のクライマックスだ。タイトルはそこから来ている。

それ以来、「歳をとったら、『八月の鯨』しようねぇ」というのが、「おひとりさま」の親しい友人との合い言葉になった。どちらがどちらに仕えるか、は不問にしたままで。

荒涼とした岩の海岸。水の冷たい北の海。鯨の来る大洋。茫漠と視野に拡がる水平線。理想的とも言える環境のなかで、たったひとつの欠点と思えたのは、夕陽が見えないことだった。メイン州は東海岸に面していて、朝日なら見える。だが、朝の遅いわたしには、朝日が見えるのはたいしてうれしいことではない。日が高く昇ってから、起きだすことになるからだ。

それより、朝日と夕陽とでは決定的にちがう。フィルムを逆回しにしたって、朝日と夕陽の見分けはつく。朝日はきっぱりと明るくかがやかしく東の空に登場し、みるみるうちに闇を追い払っていくからだ。あのたゆたうような夕陽の風情はない。

京都に住んでいた頃、マンションの最上階にあるわたしの部屋からは、毎日のように西山に落ちる夕陽が見えた。西日の入る部屋は暑い。それでも西側に窓のある部屋を選んで、山陰《やまかげ》に陽が入るのを、そのときだけ手を休めて眺めた。だが、山の端に入る夕陽は、地平線や水平線に入る夕陽とはちがって、まだまだ陽も高いのに……とうらめしくじれったく、わたしが星の王子さまなら、屋上への階段をどんどん上がってもう一度夕陽を見るのに……と思ってしまう。

水平線に落ちるもっともゴージャスな夕陽を見たのは、インドのムンバイ（ボンベイとも言う）でのこと。高層マンションに住む友人宅のベランダから、揺らめきながら燃え立つような日輪が、あたりを金色に染めてゆっくりとインド洋に落ちていった。海に入ったら、じゅっと海水が沸騰するのじゃないか、と思ったくらいだ。スペインの西端やバリの海岸でも、同じように水平線に落ちる夕陽を見たが、ムンバイのその日の日没ほど、豪華な夕陽には出会ったことがない。だが、豪奢きわまりない夕陽から視線を落とすと、金持ちの住むその高層住宅のベランダからは、足に障害のある乞食が、いざり車に乗って物乞いをしている姿が、足下に見えた。その対比の鮮やかさが、わたしに忘れがたい印象を残したのかもしれない。

理想的とも言える夕陽にめぐりあったのは、カナダのバンクーバーでのこと。ウォーターフロントの多い土地で、しかも緯度が高いので、日が傾いてからの時間が長い。海に面したビューポイントで、涼しさを増した海風を浴びながら、缶ビール片手に夕陽が沈むのを、ゆっくりと待つ。これ以上なにも要らない……と思えるほどの至福の時間だった。

バンクーバー北部にはウェストバンクーバーという郊外の住宅地がある。ダウンタウンからクルマで四十分ほど。ただひとつの橋をわたって通勤しなければならないから、ダウンタウンに仕事のあるひとにとっては、朝晩のラッシュが苦痛だが、それを補ってもあまりあると思わせる自然と景観とで、バンクーバーのちょっとした文化人には垂涎の的の住宅地だった。そのウェストバンクーバーの海に面した傾斜地に、その陶芸家の家はあった。海になだれこむような急な傾斜地に点在する家は、互いに相手の視線をさえぎらない。どの家も、満足保証付きのオーシャン・ビュー、しかも海に沈む日没付きだ。まだ明るい夕方から始まった長い夕食は、海の見える小さなダイニングで。あたりがすっかり暗くなるまで話しこんだディナーは質素だったが、なにより景観がごちそうだった。

「あなたの暮らしが、うらやましい」……わたしはそう言って、一時はほんきでバンクーバーで家を探そうと思ったものだ。

バンクーバーの景観はすばらしいが、ひとつだけ欠点がある。それは大洋に面していないことだ。西の海上に、バンクーバー島という大きな島があり、それが波と風をさえぎっている。大陸とバンクーバー島とのあいだはフェリーで三時間。そのあいだに、無人島を含めて、大小さまざまな島が点在している。海峡は内海のように凪いで、大きな湖のようだ。しかもメキシコから暖流がここまで上がってきているから、冬も寒さが厳しくない。バンクーバー島の南端にあるビクトリアという町は、バンクーバーと並んで、その気候の温暖さでカナダの高齢者が引退後に住みたい都市のベスト・スリーに入っている。

リッチなひとたちにとっては、その島のひとつを所有するのが夢。一時は作家の森瑤子さんが、そういう島のひとつを持っていた。フェリーは停まらない。自分の船か、自家用機を持つしかない。もしくはエア・タクシー（飛行機のタクシー）を使うか。家から地続きの海岸で、ムール貝を拾えるというその島のおうちに、「遊びにいらっしゃいね」と森さんからお誘いを受けたが、行けずに終わった。エア・タクシーの往復運賃が高すぎたからだ。

内海のおだやかさは、高齢者にはいいかもしれない。だが、わたしは外洋がいい。バンクーバー島は南北に細長い。島の中心部の狭い分水嶺を越すと、がらりと気候風土が変わる。東側は緑滴る森林帯、西側は荒涼たる砂浜がどこまでもつづく。年中偏西風に乗って、太平洋から吹きつける風と波で、木々も湾曲し、流木と倒木が人気《ひとけ》のない浜辺に転がる。

こういう景観を見ると、気持ちが洗われるような思いをするのはどうしてだろう。ひとにやさしい自然よりは、ひとを拒絶する自然のほうがずっと好きだという気持ちは、子どもの頃から変わらない。自然がそこにわたしと関係なくあること、わたしの前からあり、わたしのあとにもあり、わたしがいてもいなくてもありつづけるということに感動してしまう。わたしはそこにしばし居させてもらうことはできるが、ずっと居つづけることはできない。ほんのつかのま、自然の気まぐれが許してくれるあいだだけ、それが惜しみなく与える豊かさや厳しさに触れることができる。アウトドア・ライフから学んだのはそういう経験だ。あまりに人間くさい仕事を選んでしまったための、反動だろうか?

忘れがたい夕陽は、アイルランドの北端近く、ドネガルという田舎町の海辺のコッテージで過ごしたときのこと。大西洋沿いに岩壁がそびえたち、そこに偏西風に乗った波と風が小止《おや》みなく吹きつける。樹木は育たず、ヒースの生い茂った沼沢地に、羊が何頭も突風に吹きさらされたまま立ちつくしている。ひとよりも羊の数が多い、痩せた土地。ときたま昼間から赤ら顔をした男が、酒臭い息をして通り過ぎる。子どもと老人のほか、働き盛りの年齢の男や女のすがたはほとんど見ない。海岸の岩壁をあふれだして向こう岸のアメリカに出稼ぎにいくほか生きてゆく道がなさそうな貧しい村。ウィスキーのような強いスピリッツを朝から流しこみでもしなければ、やりきれないのだろう。

わたしはそのコッテージで翻訳に集中していた。一日、仕事をしたあと、まだ明るい夕方から散歩に出かける。海岸にある岩壁の上端にとりつき、海から吹く突風を浴びながら、眼下の海鳥の群れを見る。まるで風に翻弄されるように海鳥の群れは上がったり下がったりする。よく岩にぶつからないものだと感心する。そのポイントから、大西洋にゆっくり夕陽が落ちるのを見つめる。

最後の落暉が水平線のかなたに消えるのをたしかめてから、まだ明るみの残る家路をたどる。冷えたからだをピートの燃えるストーブで暖めて、食事の支度だ。

アイルランドというと、その日々に見た夕陽が鮮烈によみがえる。一日がその一瞬のためにあったと思えるような夕陽だった。

こうして見ると、わたしの夕陽のコレクションも、けっこう豊かかもしれない。

夕陽は誰にも属さないし、ひとり占めもできない。いくらでもほかのひとたちと分かち合うことができる。それを眺めるために歩をゆるめ、手を休めるだけの気持ちのゆとりさえあれば……。

クルマ

「女房のやつ、いったんハンドルを握ったら、離さないんですよ。よっぽど、運転が好きなんですねえ」とその男性は言った。女房はあなたのように小柄で、小さいカラダでがたいの大きいクルマを転がすのが、うれしいんでしょうねえ、とつけくわえて。

長いあいだ、わたしの指定席は助手席だ、と思っていた。なんて「女らしい」ことだろう！

わたしが子どもの頃、父が運転免許をとった。運転席でハンドルを握っている父は、緊張でからだを硬くして、子ども心にも気楽には見えなかった。

「こんなたいへんなしごとは、男にまかせておきなさい」と父が言うので、ふーん、そんなものか、と思ったものだ。

父は、学生時代の兄に免許をとらせ、次に弟にも免許をとらせた。わたしの順番は飛ばされたが、そのときになっても、「助手席の女」の位置に、疑問を持たなかった。

三十代で生まれて初めてアメリカに長期滞在したとき、足のないのに困った。シカゴはクルマ社会。クルマがなければ、移動の自由はない。ダウンタウンまで行くバスと電車は、泥棒とレイプの巣窟。空いた車両に乗らないように、運転手の目の届くところに席をとるように、とアドバイスを受けた。

ドライビング・スクールに電話すると、実直そうなオジサンがクルマに乗ってわたしのアパートの前にやってきた。アメリカには、教習所専用のコースなんてない。はなっから路上運転だ。教官席にもブレーキがついているとはいえ、どしろうとにハンドルを握らせて、生きたここちはしなかっただろう、といまから思えば同情に耐えない。

クルマを走らせてみると、なぁーんだ、と思うほど運転はあっけなかった。運転席に乗ってたやつらが、こんないい思いをしていたなんて。女の指定席は助手席、だなんて、どこのどいつが言ったんだ？

ミシガン湖のほとりを北上するレイクショア・ドライブを飛ばすのは、中古のポンコツ車でも気分がよかった。必ず前方を走るクルマに追いついて、いつのまにか先頭を走っていた。アメリカの友人たちからは、カミカゼ・ドライバーの異名をちょうだいした。ほかのクルマはわたしのクルマをよけてくれるように見えたのだけれど、少し経ってから、もしほかのドライバーがわたし並みの初心者ばかりだったら、と思ったら冷や汗がどっと出た。

クルマが好きだ。わずかな操作でエンジン音をぶるるんとふるわせて、ぐいっと加速していく感じがたまらない。カーブに入っていくときのコーナリングも好きだ。ダッシュボードで前方が見えないくらい大きなアメ車の運転席に埋もれても、わたしの指令どおりにクルマは動いてくれる。冒頭の男性の「女房」のキモチがよくわかる。

クルマ好きの男はたくさんいる。フロイトによるとクルマは女体のシンボル、それを駆《か》るのはじゃじゃ馬ならしの気分だというが、そんなセックスの比喩を持ってこなくても、運転は女にとっても楽しい。助手席から運転席へ移ってみると、その感を深くする。

でも、クルマ・フェチではないから、なめるように車体を磨いたり、顔が映るほどワックスをかけたりはしない。買い換えるたびに、「いちばん汚れの目立たないのを下さい」とシルバー・グレーに落ち着く、ずぼらなカー・オーナーである。

クルマは移動の手段で、実用品。操作性がよく、安定性があり、信頼性があることがいちばんである。

思えばずいぶん長距離を走りまわった。

アメリカでは大陸横断と大陸縦断の両方をやりとげた。横断はシアトルからニューヨークまで。縦断はシカゴからニューオーリンズまで。両方やったひとは少ないと思う。

ヨーロッパもドイツを拠点に走りまわった。ボンからベルリンへ、プラハへ、スペインを経由してポルトガルへ。

オーストラリアでは、航空券をキャンセルして、アデレイドからメルボルンまでの一〇〇〇キロを二日で走った。

好きなんだと思う、あのスピード感と緊張感が。

スピードにはアディクション（中毒）になる。肉体の自然では到達できないスピード感を味わう。人間のスケールを超えたスピードで走っていると、テンションが高まる。一〇〇キロを超すと疾走感が始まり、一二〇キロを超すと車体が不安定になる。一四〇キロを超すと視野が狭くなり、一六〇キロを超すと、ほんのわずかなハンドル操作のミスや、路上の障害物にぶつかっただけで、クルマごとふっとぶ、そうなったら助からない、という緊張感で覚醒する。アメリカで、地図の上に定規で直線を引いたようなまっすぐな道路を走りつづけたときには、眠気に悩まされた。そういうときには、スピードを上げる。ほんの一瞬で命取り、と思えるから眠気対策にはこれがいちばん、という、とんでもないドライバーだった。

　ドイツのアウトバーン（高速道路）には、速度制限がない。カーブも計算ずくめで、減速せずに曲がれるように設計してある。三〇〇キロ離れた目的地へは二時間、というめやすだ。あのケチなドイツ人が、燃費を気にしないことがふしぎでしょうがなかったが、ドイツ人は「おカネじゃなくて、時間にケチなんですよ」という答え。ほんとかな。エコロジーを掲げる緑の党が、ときどき思いだしたように高速道路の速度制限案を出すが、賛成が得られなくて立ち消えになる。「緑の党のひとたちだって、ホンネじゃスピードを出したいからね」というのが理由だそうだ。

　だが、人間の身体感覚を超えたスピードは、心身が弱ったときには耐えがたい。疲れ果てて乗りこんだ新幹線の車窓の速度に、吐き気をもよおすこともある。自然じゃないからだ、と思うが、いったん覚えた味は忘れられない。


「東大のヨンさま」こと、政治学者の姜尚中さんと話したとき、思いがけずクルマ談義で盛り上がった。聞けば彼もスピード狂だという。お互い、ストレスがたまっているんですねえ、と顔を見合わせた。

　クルマにはなにやら魔力がある。六十八歳で余命二年のガン告知を受けた佐野洋子さんは、告知を受けた帰り道に、クルマのディーラーに飛びこんで、ジャガーを購入した、とエッセイ（『役にたたない日々』朝日新聞出版、二〇〇八年）に書いている。その気持ちはわかる。死ぬまでにポルシェに乗りたい、とつねひごろ言いつづけていた友人がいた。やりたいことをやるのにだれに遠慮がいるの、クルマぐらい、手に入れたら……と言っているうちに、彼はガンで亡くなった。その気になれば手の届く夢だったのに、そんなたわいもないのぞみさえ叶えないで、還暦を迎える前に亡くなるなんて、ばかなやつだ……と追悼のたびに思う。

そのうち石油がほんとに手に入らなくなったら、ただの粗大ゴミと化したクルマを見て、「あんな時代もあったよね」と、思いだすこともあるのだろうか。

本棚

本棚を他人に覗かれるのがイヤだ。まるで自分のアタマのなかを、覗かれているような気がするからだ。その逆に他人の本棚を覗くのは好きだ。たとえ趣味が悪い、と思われても。

にんげんのアタマのなかは、九九パーセントまで他人のことばとアイディアの借用で成り立っている。オリジナルは残りのわずかな部分だけ。それなら何を読んできたかは、アタマのなかの歴史の軌跡を示すことになる。

それだけではない、外からはうかがえない、そのひとの意外な性癖や嗜好まで覗けてしまう。本棚は、アタマのなかの在庫目録なのだ。

わたしは本を三箇所に分けて置いている。勤め先の研究室と、東京の自宅、それに山にある仕事場だ。ときどき「本棚拝見」という取材の依頼がくるが、研究室の蔵書しか見せない。これは公的な職業生活にかかわる仕事の材料だから、いくら見てもらってもよい。自宅には、他人に見せない、見られたくない本がある。わたしの本棚を見たら、詩歌のたぐいが想像以上に多いことに驚くひともいるだろう。だが、この種の本はすべて自宅に置いてある。それに下ネタ系の本も……。

イラストライターとしてユニークな仕事をしている内澤旬子さんが、『センセイの書斎――イラストルポ「本」のある仕事場』（幻戯書房、二〇〇六年）という本で、わたしの研究室を取材におとずれた。上野研究室は両側の壁が天井までぎっしり本で埋まっている。それも奥まで三列分！　だから見かけの三倍は本が詰まっている。

「えーっ、これだけ本を読まれたんですか!?」とオドロキの声があがるが、本は研究者の商売道具だから、あって当然。自慢にはならない。それに全部読んだかどうかは、企業ヒ・ミ・ツ。

それより自慢したいのは、日本図書分類の一〇進法や、ジャンル別、判型別などの分類法ではなく、この本をすべて著者名五十音順にきれいに並べてあることだ。だから鶴見和子さんの本を探したいと思えば、著者名で「つ」の表示のあるコーナーを、三列目の奥まで探索すれば、必ず出てくるしくみになっている。

この方式を学んだのは、ニューヨークのダウンタウンにある古書店、ストランドの「八マイルの本棚」からである。壁の本棚を埋め尽くした本、本、本がフロアを越えて合計で八マイル、一二・八キロ並んでいる（二〇〇八年現在では、複数の店舗を入れて総計一八マイルに達しているという）。その並べ方が徹底した著者名アルファベット順なのだ。なるほど、これなら必ずどんな本でも探しだせる……といたく感心し、そのアイディアをいただいた。それまでああでもない、こうでもないと試行錯誤していた本棚の整理術が、これでぴたりと決まった。

この方式の効果は絶大だった。

まず本のデッドストックがなくなった。本というものは、たしかに持ってはいるのだけれど、どこに置いたか、出てこない、という運命にある。ほんの数行の引用のために、血眼になって探しだそうとした本が見つからず、もう一冊注文したことなど、ざらにある。だから本棚を整理してみると、同じ本が二冊、三冊と並ぶことになる。

デッドストックとは、文字どおり訳せば「死蔵」のこと。図書館は本の倉庫だが、「死蔵」の場所ではない。だれかが手にとって生き返らせてくれなければ、本は死んだままになる。ストランド方式を採用してからは、ほしい本は必ず取りだせるようになった。つまり本の「死蔵」率が減った。それにうっかり在庫があることを忘れて、二冊目を注文するミスも防げるようになった。

もうひとつの効果は、この本棚なら、だれでもいつでも使いこなせること。わたしの研究室には学生が出入りするが、「ちょっとお願い、エンローの本を取ってくれる？」と頼めば、「え」のコーナーを探せば必ず見つかる。だから学生のほうも、カタログなしでわたしの本棚から本を探すことができる。かれらは上野研の本棚から自由に本を借りてもよい。著者の名前さえ知っていれば、図書館で探すより上野研で探すほうが専門分野についてはずっと早いからだ。

ただしこの方式を維持するには、それなりのコストがかかる。本棚から出した本は必ず元の場所へ戻す。これが意外とたいへんな作業だ。新しいプロジェクトのたびにばーっとあさって積み重ねた本を、用が済むと元に戻すのはそれだけでテマがかかる。そのために研究室では「猫の手」バイトという、バイト料を払って、学生さんに手伝いをしてもらっている。そうしなければこの方式は維持できないからだ。

ただし、困ったこともある。著者の名前を覚えていられないことが増えたのだ。とくに共著はそうで、目当ての著者にたどりつくまでに、編者の名前が思いだせない。どんな装丁で、どのくらいの判型で、まで目に浮かぶのに、なかなか書名も著者名も出てこない。加齢現象と言うべきだろう。

それに主題別分類の本棚を見る際の、思いがけず関連の書物を見つける楽しみが減った。

なにしろ味もそっけもなく著者名五十音順だから、意外性のある楽しみと言えば、辞書を繰っていて、となりの単語をつい見てしまう予想外の発見ぐらいなものである。

本棚は個性的なものだから、どの本がどこにあるかはふつう本棚の持ち主にしかわからない。しかもその持ち主のアタマのメモリはすぐにいっぱいになるから、どこにあるかは本人にもわからなくなる。アタマのメモリだけでなく、本棚のスペースもすぐにいっぱいになるから、本は床に積み重なり、散乱し、足の踏み場もない状態になる。内澤さんの取材先には、そういう本の光景――彼女は見てきた現場を、克明《こくめい》なイラストで再現する驚くべき才能を持っている――があって、わたしはにんまりする。いかにも本好きの読書家の光景で、ほほえましいが、これではさぞ不自由だろう。わたしだってこうなったかもしれないのに、これならわたしのやり方のほうが、ずっとまし、とひと安心する。

効率一辺倒に見える上野研の本棚を取材して、内澤さんはこう書いた。

「『本棚を人に見せると人格がわかられてしまうから、自宅は絶対に見せません。自宅は別人格なんです。ほほほ』。膨大な情報を乗りこなす敏腕ぶりに驚嘆しているときにこんなことをポロリといわれてしまうと、やけに艶めいて響く。ドキドキして思わず次の質問に詰まってしまった。」(前掲書)

そう。効率にのらない蔵書は、他人には見せない……。

ネット注文の本屋さん、アマゾン書店では、ある本を注文すると、「この本を注文したひとは、以下の本も買っています」という案内が出る。それだけではなく、「あなたは過去にこんな本を買っています」というデータも出る。

便利なようだが、一瞬ぞくっとする。

こうやってアタマのなかの軌跡を記録に残され、読み解かれるのか。

そう言えば思いだすできごとがある。

京都で長い学生時代を送っていたころ、行きつけの書店があった。中京区にある三月書房という、その筋では有名な書店だった。人文系の書物の品揃えが充実しており、ブルトンやバタイユ、渋澤龍彦などシュールレアリストや奇想系の作家の作品もそこに行けば必ずあった。思潮社の現代詩文庫や歌集のたぐいも揃えてあった。わたしが吉岡実や吉増剛造などの現代詩、塚本邦雄や葛原妙子、加藤郁乎などの前衛歌人や俳人の詩歌に親しんだのも、この書店の本棚をつうじてだった。

京都の出版社、人文書院が出していたサルトル全集のなかから、『聖ジュネ』を万引きしたのは、ちくりと胸を刺す記憶である。泥棒詩人、ジャン・ジュネについて書いた本を、おカネを出して買うのは、なんだか美意識に反する、ような気がしたからだ。

書店の奥のレジ台では、いつも店主のSさんが、悠然とかまえて店番をしていた。京都内外の知識人や文化人と交流の厚い、やはりその筋では有名な人だった。本棚の品揃えは彼のセレクションだった。書店が文化の基地であり、書店で働くひとの個性が刻印される時代のことだ。

ある日のことだった。わたしは見つけた本をレジに持って行った。Sさんはわたしのさしだした本を見ながらこう言ったのだ。

「あなたなら、この本を買うと思っていましたよ。」

瞬間、アタマに血がのぼった。わたしはことばを失い、だまって本を受けとり、その場を足早に去った。

その日以来、その書店に行くのを、わたしはぷっつりとやめた。

依怙地《いこじ》に思われるだろうか?

あれはSさんにとってはわたしに対する親愛の情の表現だったかもしれないし、たんなるわたしの自意識過剰というものかもしれない。だが、あのときの、アタマのなかを見すかされるような羞恥心の記憶は、いまでもよみがえる。わたしがその後、彼の店に足を踏み入れなくなった理由を彼はきっと知らないだろう。

何年かしてから、三月書房を再訪したことがある。Sさんはすでに他界し、息子さんの代に替わっていた。版元から買い取りで揃えていると聞いた本棚の本は、昔のままで、心なしか、そのまま黄ばんで古びているように見えた。そこだけ時間が凍結したようだった。
だが、Sさんはそこにおらず、わたしは元のわたしではなかった。

だから……他人の本棚に関心を持つのは、ほどほどにしたほうがよい。

スキー

寒さが近づくと、うれしくなる。

こんなハンパな寒さでなく、もっとキーンと寒くなれ、と思う。降る雨が雪に変わるほどの寒さになってくれ、と願う。

そんなふうに思うようになったのは、スキーを始めてからだ。

毎年九月になると、そろそろシーズンが近づくな、と準備モードに入る。とつぜん屈伸運動を始めたり、エレベーターを使うのをやめて階段を歩いて上がったり。

二十代の頃まで、スキーをやっていた。革靴にバックルをかけて、背丈よりも長いスキーを操って、スキー合宿にも行った。それから中断して二十年。四十歳を越してから、再開した。

ちょうどＮＨＫで平沢文雄さんが、「初老からのスキー教室」をやっていた頃だ。「初老」っていくつからを言うのだろう？　と思ったら、四十歳から、だとか。それなら当時のわたしも、しっかり該当者だった。

二十年のブランクを経て、二本のスキーをはいて降り立ったスキー場で、わたしはまったく初心者同然。初級コースをおっかなびっくり滑り降りたら、腰がひけてるだの、お尻が出てるだの、さんざん「ご指導」を受けた。

久しぶりのスキー場に同行した友人が、「ヘイキだよ」とリフトに乗せて連れて行ってくれたのが、白馬八方尾根の兎平《うさぎだいら》という有名な急斜面。すいすい滑降してあっというまに見えなくなった友人に置き去りにされ、泣きそうになって、斜滑降とキックターンのくりかえしでようよう降りてきたら、友人が「どうしたの、顔色が悪いよ」とのたまった。まっさおになっていたのだと思う。


再開してみたら、すっかり道具が変わって、スキーがべつものになっていた。いまのスキーはカービングスキーといって、幅広で丈も短く、わずかな重心の移動でこまわりがきいて、操作性がよい。昔のスキーと比べると、ハイテクといってよいくらいだ。姿勢もスキーを揃えてきれいに滑るなんて言わずに、肩幅に足を広げて、自然に両脚を交互に出して歩くように滑る。道具が変わっただけで、なんだかとてもうまくなった気分がする。それにスキーはうまいひとはうまいなりに、へたなひとはへたなりに、楽しめるスポーツだ。

とはいえ、膝にも腰にも故障がなく、目も見え、バランスもよくなければ、スキーはできない。どこかにひとつでもトラブルがあれば、アウトだ。五十歳の坂を越えたとき、あと何シーズン、こうやって雪の上に立てるだろうか、と指折り数えた。そうなれば、一シーズン一シーズン、あだやおろそかにはできない。スキーシーズンのあいだは、仕事を減らそうかと思うくらい。

わたしにはホームゲレンデがある。山の家からクルマで十五分。朝八時半開始のリフトに間に合うように、まだうす暗い七時半に起きて八時すぎには家を出る。耐寒用の下着にセーターを重ね着し、スキーウェアにオーバーズボンと完全武装をする。寒さは年齢の大敵だ。ネックウォーマーに鼻マスク、ゴーグルにヘルメット。分厚い手袋をはめて、スキー靴をはいた宇宙遊泳みたいな格好に、スキーとストックをえいやっとかつぎあげる。寒さは容赦なく、風は身を切るようだ。

「難儀な遊びやなあ……」とぶつぶつ言いながら、スキー場に向かう。

それでもスタート前のリフト乗り場に立ち、朝いちばんの誰もシュプールをつけていない斜面を、思うぞんぶん滑る快感は、一口めのビールの喉ごしみたいな爽快さだ。どんな難儀な思いも、これでふっとぶ。

スキー場ではシーズン通しの会員券がある。それもわたしの年齢では、シニア割引だ！

まさか自分が、シニア割引のシーズン券でスキーをすることになろうとは、夢にも思わなかった。

口の悪い友人は、関西弁をかけてこう言う。

「さんざん遊んで、はよ死にや、という意味やろ。」

それかあらぬか、スキー場で出会う常連には高齢者が多い。ヘルメットを脱ぐと銀髪がこぼれでる。こんな難儀な遊びは、若者にはもう人気がないのだろう。事実、「わたしをスキーに連れてって」と、スキー場が大ブームになった八〇年代に比べると、スキー人口は激減している。

省エネ、脱力系のスキー術を会得したので、いくら滑っても疲れない。重心移動だけで、ひたすら滑り降りる。汗もかかないし、足腰も痛くならない。こんなんじゃ、運動にならないよ、と思うくらい。重力に反して昇るのは、リフトやゴンドラという機械がやってくれる。わたしはひたすら下るだけ。下り坂の人生にこんなにふさわしい遊びはあるだろうか、やっぱりスキーはシニアのものだ、とこじつけたりする。

まれに一本足の椅子スキーを見ることがある。下半身麻痺になったひとが、そりのような板をつけた二本のストックをあやつって、器用に斜面を滑り降りていく。そんなにしてまで滑りたいものか……と思うが、そう、そんなにしてまで滑りたいものなのだ、スキーって遊びは。そうか、下半身麻痺になっても、ああやって楽しめばいいのね、と安心をもらえる。

遠くから見るとスキー場は山の斜面を伐り拓き、無残にバリカン刈りしたすがたに見える。ゴルフ場とならんで、スキー場も、環境破壊という点ではいい勝負だろう。スキー場閉鎖の報を聞くと、環境にはそのほうがよいのだろうと思う。それに食い詰めた経営者に原状復帰をするだけの余裕はあるのだろうか、と心配になる。だが、平坦な地を無残に伐り拓いたゴルフ場とちがってスキー場は、ほかには使い道のない山の傾斜地を、ちょっと削って使わせてもらうだけ、ごめんね、と言いわけがましい気分になる。

昔のひとは、スキー板をかついで雪のなかを山に登り、新雪のなかを一回こっきり、降りてきたんだという。それに比べればリフトでカラダを持ち上げてくれるいまのゲレンデスキーは、都会ものの道楽。友人の夫は岩手県出身、いくら誘われてもゲレンデスキーにはけっして同行しない。彼によればスキーとは、家から学校へなどという目的のある移動の手段。理由もなく同じところを昇ったり滑ったりする都会ものにはつきあえん、からだとか。

とはいえ、一年でいちばんきびしい季節を、アウトドアの楽しみの季節に変えたスウェーデンだのフィンランドだのという雪国のひとたちはえらい。なにより、自然のなかにいる喜びはなにものにも替えがたい。口もとに笑みがこぼれでる。抑えてもおなかの底からこみあげる笑いは、大自然のなかにいるアウトドアスポーツならではのものだ。こんな楽しみを知らないひとに、教えてあげたくなる。そう言えば、ひとり遊びの得意なひとには、アウトドアの好きなひとが多いような気がする。自然のなかにいるだけで、もうほかには何もいらなくなる。自然は刻一刻と変化するから、風や波など対話する相手に事欠かない。というより、わたしひとりがそこにいようといまいと、自然には何の関係もない、という潔さがよい。それでもわきあがるこの歓びは、自分もその一部であることを許されている生きものの歓びだろう。

ペット

ペットロス症候群というものがある。

配偶者を喪うこともつらいが、ペットを喪うこともつらい。長年つれそった人生の伴侶を喪うことと動物を喪うことを比べるなんて不謹慎、と思う向きもあるだろうが、実際にペットを喪ったことのあるひとの悲嘆の深さは、それに劣るとも思えない。

ペットはコンパニオン・アニマルとも呼ばれる。暮らしのパートナー、人生の同行者。人の世のさまざまな価値、貴賤、美醜、貧富、格差などに頓着せず、ひたすら疑いを知らない瞳で慕いよってくれ、忠実で裏切ることがない。だれからも見捨てられた魂にも、他人と接点を持てない孤独な存在にも、希望を失った敗残者にも、信頼の目を向けて寄りそってくれる。だからペットは、高齢者施設の老人にも、引きこもりの青年にも、不登校の少女にも、大切なコンパニオンになれる。

仕事中毒のわたしの友人の男性は、妻との仲は冷え、年頃の娘は汚らわしいものを見るような目を向けるとこぼす。家に帰っても楽しいこともないが、たったひとつ、飼っている柴犬がシッポをちぎれんばかりに振って歓迎してくれる。それが楽しみで家に帰るのだ、という。

「ボクを歓迎してくれるのは、犬だけですよ。」

そう自嘲気味に言う彼の口ぶりはいつもシニカルだが、ペットについて話すときだけは、無垢な顔つきになって目尻が下がる。

犬しかお友だちのいない孤独な女の子……それが少女時代のわたしだった。娘を塀のなかに隔離しようとした父親のせいで、ご近所の子どもつながりから孤立し、電車とバスに乗って遠距離通学する中学校へ通い、進学するたびにいつもたったひとりで見知らぬひとたちのあいだに投げだされた。

子どものときから犬を次々に飼ってきた。犬の寿命は短いから、目の前で何匹も犬が死んだ。そのたびに、大泣きした。ああもしてやればよかった、こうもするのだった、と後悔し、自分を責めた。それなのに、しばらく経つとまた犬がほしくなり、新しい犬が来るとその犬に夢中になった。おとなになって智恵がつくのと、前の犬から学習するのとで、少しずつ犬の飼い方がじょうずになった。相手のあることだし、犬にだって犬のつごうがある。相手のつごうに合わせてやらなきゃならないことを、学ぶようになった。

長じてのち、男と恋愛するたびに言ったものだ、もしあなたがわたしとつきあって少しでもいい思いをしているとしたら、わたしの前の男たちに感謝してね、だって彼らのおかげでわたしはここまで学習したのだから……。

だが、ペット自慢やペット話は、相手を選んだほうがよい。ペットを飼ったことのないひとには、この気持ちは通じず、よほどのおろかものと思われてしまうだろう。同じようにペットにはまっているひととのあいだなら、思うぞんぶんお互いのペット話にふけることができる。

飼っていた手乗り文鳥が、ひょんなことで亡くなったとき、わたしは三日三晩、泣き暮らした。泣きはらした目では外出も思うにまかせず、それ以上に、だれかと会って「実はうちのピーコが……(というのが、その小鳥の名前だった)」と口にするたびに、涙が滂《ぼう》沱《だ》として止まらず、ひとに会うのも難儀した。親族が死んだときには忌引きというものがあるのに、どうしてペットが死んだときには忌引きがないのだろう、とまで思った。ほんとうに何も手につかなかったのだ。親を見送ったときにも、これほどは泣かなかったのに。

ばっかみたい、と関係のないひとには思われるだろう。

「その気持ち、わかるわぁ」と言ってくれたのは、同じようにペットを飼うひとたちだった。だから言う相手を選んだのだが、ペットの話をしないほうがよい相手とはそしらぬ顔で話を合わせるのがつらく、ペットロスの哀しみを共有してくれる相手とは、会えば気持ちが慰められるが、代わりに涙が止まらず、どちらも往生したものだ。

この鳥はふしぎな鳥だった。

仕事帰りの夕暮れ、道ばたの工事現場で野鳥とは思えない真っ白な小鳥が一羽、行き昏れて所在なげに佇んでいた。そっと近づいて手を出すと、その鳥はひとあし、ふたあし、ぴょんと飛びながら、三歩目にわたしの手に停まったのだ。運命、と言うほかない。

そっとてのひらに包みこむと、わたしは家に急いだ。子どものときに鳥を飼ったことがあったから、小鳥は体重が軽い分、ひっきりなしに餌を食べていないと、たった一日、餌がとぎれてもあっけなく死ぬことを知っていた。どこかの家からはぐれてきたのだろう、わたしの手に停まるほどひとになじんだ飼い鳥が、自分で餌をとれるような野性を持っているとは思えなかった。

ありあわせの空き箱に小鳥を入れてから、わたしは近くのスーパーに走った。閉店時刻は近づいていた。なにがなんでも、今夜中に小鳥の餌を手に入れなくちゃ。

その日から、ピーコはうちの住人になったのだ。

どんな育ち方をしたのだろうか、ピーコは人見知りをしなかった。家のなかじゅうわたしの行くところに随《つ》いて歩き、トイレに入るとドアの外で待ってぴぃぴぃと急かした。原稿を書くときには手の上に停まり、じっとしてそのうち眠りに落ちた。人間のまぶたとちがって鳥のまぶたが、下から上へとふさがることを知ったのはこのときだ。ピーコの眠りを妨げないように、わたしは原稿を書く手を休めなければならなかった。食事のときには肩の上に乗り、退屈すると耳たぶをつっついた。ふるまいがあまりに人間らしいので、ピーコは自分のことを人間だと思っているにちがいない、と感じたほどだ。

冬が近づいて、暖房を入れる季節が来た。わたしはガスストーブを室内で使っていたが、排気ガスが小鳥に悪いだろうと考えた。それで当時はまだ新しかったＦＦ（強制排気）式のガス温風暖房機を、借りていたアパートに奮発して設置した。

毎朝の日課だった水浴びも、寒さの訪れとともに水が日々に冷たくなると、ピーコは水に入るのをためらうようになった。それで洗面台に温水をためながら、人肌に温めたお湯をわたしのたなごころにすくうと、ピーコはそのなかにぽしゃんと飛びこんで水浴びならぬ湯浴みをした。翼を勢いよくばたつかせるものだから、わたしは顔も服も水浸しになったのだが、ピーコのため、と思えば苦にならなかった。

あれやこれやで、わたしはこの鳥を、「国際過保護鳥」と名づけていたのだ。

親ばかならぬペットばか、関係のないひとが聞けば、愚にもつかない話だろう。だから、ペット話をする相手は、よほど選んだほうがよい……。


ペットはその絶対の依存性と信頼性で、小さな子どもに似ている。子どもも少し大きくなれば、ずるさや媚び、不信や軽蔑を学ぶが、うんと小さな子どもは生きていくために絶対の信頼を親に寄せるほかない。

小児麻痺で脚が不自由だったわたしの友人は、子どもの頃、それをふびんに思った父親から溺愛されて育った。父親は幼な子だった彼女を毎晩自分のふとんのなかに入れて、掻き撫でながら育てた。彼女にとって異性との愛の原体験は父親がくれた絶対的な愛だった。おとなになってから、父親が与えてくれたような愛をほかの異性に求めても無理なこと、どんな愛も条件付きの相対的なものであることを知った。だから彼女は結婚を望まない。

「だけどね、子どもはほしいと思うのよ。」

なぜなら、子どもなら絶対の愛、だれかと比べたり何かと引き替えにしたりしない、かけ値なしの信頼を与えてくれるから……。

子どもにとってなら、かけがえのない「オンリー・ワン」でいられる、という彼女のもっともな望みを聞いて、でもわたしは、そうね、そのとおりね、産んでみたら？　と励ます気持ちになれない。

なぜって、それなら子どもはペットと同じだから。そしてペットを持ちたいと思う気持ちのなかには、無償の愛情ばかりでなく、絶対的に依存的な存在を自分に従属させたいというエゴイズムがあることを、わたしは知っているから。そしてこういう動機で子どもの母親になったら、子どもがかわいそうだと思うからだ。子どもはペットではない。事実、父親にペットのように愛された子どもの頃のわたしは、その親の愛の身勝手さを鋭敏に感じとっていたはずなのだ。それなら子どもを持つよりペットを持つほうが、よほど罪がない。

ペット話を他人から聞かされたり、他人に聞かせるときに気をつけなければならないのは、それが無償で無垢の愛の、のろけ話のように聞こえるからだけではない。自分の隠しようもないエゴイズムを、はしなくも露呈してしまうからだ。

定年になったら……犬が飼いたい、と思い始めている自分がいる。おっと、危ないな、と思いながら、その誘惑に抗しきれないかもしれない。

俳句

この国には、世界でいちばん短い詩型である俳句と短歌があって、そのなかには忘れがたい愛誦句がいくつもある。なにもかもが青に染まる五月になると、きまって思いだす句がこれだ。

生きたまへ五月は青き風の色　惇郎

新聞のコラムに引用されていた句だから、作者の名前は知らなかったが、あとになって朝日新聞「天声人語」の名コラムニスト深代惇郎さんだとわかった。一度見ただけなのに忘れがたい句になった。五月の気分がほんとによく出ている。鯉のぼりが翩翻《へんぽん》とひるがえる五月の青い空が目に浮かぶ。長患いの病人だって、うつに沈んでいる若者だって、もう少し、生きてみようと思うだろう、その五月の気分が伝わる。

若いとき、俳句に親しんだ。いや、若いとき、というのは正しくない。自分がもはや若くなくなった、と観念したときに、俳句という詩型にめぐりあった。短歌と俳句という短詩型文学は、異母きょうだいみたいに仲が悪い。出自を共有しているのに、否、出自を共有しているからこそ、互いを悪《にく》むのだろう。

わたしは短歌を避けて、俳句を選んだ。それというのも、俳句という、世界で最短のことば足らずの不自由な詩型が、断念と抑制の表現の器《うつわ》だと思えたからだ。青春短歌というものはあるが、青春俳句というものはない。俳句ほど、青春に似つかわしくないものはない。わたしは自分が青春を終えたと感じたときに、この詩型を選んだ。もはや詠嘆も抒情も自分に許されなくなったと感じたときに、と言いかえてもよい。

にもかかわらず、その不自由な詩型から、抑えてもあふれるようにこぼれだす清冽な抒情にたまさか出会うことがある。掲出の句はそんな作品のひとつだ。

五月といえば、中村草田男《くさたお》。彼ほど抒情が詩型を食い破ってあふれだす反俳句的な資質の持ち主を知らない。心理療法家の霜山徳爾さんが草田男の句を偏愛していることを知って、むべなるかなと思ったものだ。
たとえば有名な萬緑《ばんりょく》の句。

萬緑の中や吾子《あこ》の歯生え初むる

若い父親の爆発するような歓喜と畏怖とが伝わる。忘れられないのはこの句だ。

咲き切つて薔薇の容《かたち》を超えけるも

頽落《たいらく》にいたるまでのみごとな生命の賛歌。この句を知ってからは、花屋の店先でお行儀よく蕾を並べている切り花の薔薇を見ると、おまえさんたちは草田男の薔薇にはまだまだ及ばないよ、と言いたくなってしまう。そして実際、切り花で求めた薔薇は、咲ききるすがたを見せる前に、大半が首をうなだれてしまう。
日本文学が専門の友人が、そういえば辞世というのは、ほとんど短歌で、俳句というのは聞かない、と教えてくれた。幕末の志士たちはだれもが、死地へ赴く前に、作法として辞世の歌を詠むという習慣があったそうである。詠嘆と抒情の器としての短歌という詩型は、辞世にふさわしいのかもしれない。

だが、そう言えば明治人で辞世の句を遺したひとがいるわ、と思いだした。北村透谷だ。志半ばにして妻子を置いて二十五歳で自死するに際して、こんな辞世を詠んだ。

折れたまゝ咲いて見せたる百合の花

「実世界の敗将」の挫折感と、それとうらはらな鮮烈な気概とが伝わる。この句を知ってからは、百合の花が、断頭台に昂然と頭《こうべ》をさしだす貴婦人に見えてくる。

初夏が近づくと思いだすのは西東三鬼《さいとうさんき》の句。

中年や遠くみのれる夜の桃

この苦さと屈折、爛熟と諦念こそは、俳句という詩型にふさわしい。だがそれにしても、このしたたるようなエロスは何だろう。薔薇、百合、桃のような初夏の風物は、抑えようもない生命への傾斜を持っている。

高齢者について講演をすると決まって受ける質問がある。寝たきりや認知症で重度の要介護高齢者のお世話をしていると、「こんなにしてまで生きなければならないものだろうか」と思えてくる……というものだ。「こんなにしてまで」と思っているのは、高齢者をお世話している側で、高齢者本人ではない。これが自分だったら、と思う者も、いつか自分自身がそうなったときには、どう感じるのだろうか。

どんなにからだが不自由になっても、日射しの伸びる気配や陽気の変化を感じとることはできる。夜眠る前に、明日目が覚めますように、と祈り、朝起きたらお天道さまが昇っていることを喜び、夕べには今日一日を生きてよかった、と安堵する……そうやって日々を過ごしながら、もう少し生きてみよう、と思う。そのなかに、「こんど桜が咲くまでは」「蛍が出るまでは」が小さな目標になる、そんな生き方ができればよいではないか、と思う。冒頭の「生きたまへ」は、そんな希《ねが》いがこめられた作品だ。そして五月の風は、生きてみるにあたいするだけの値打ちがある。

死にもっとも近く詠まれる季節の花がある。桜である。西行法師の「ねがはくは花のしたにて春死なんそのきさらぎの望月の頃」は、いまから読みかえせば通俗のきわみだが、とはいえ、「今年の花を見るまでは……」の切実な思いが伝わってくる。

毎年桜の季節になると、あわただしい暮らしのなかであっというまに花の盛りは過ぎてしまい、「あはれ今年の春も去《い》ぬめり、の気分ですよ」と口にしていた。だが五十歳の坂を越してからは、年々の花の季節が逃してはならない貴重なものに思えてきた。だから、少々無理をしても花を見るための機会をつくる。ありがたいことに山の家では、平地で桜の季節を逃しても、標高を少しずつ上げていけば、ひと月ばかりは花の季節が楽しめる。ゆとりがあれば、桜前線と共に北上して、いやっていうほど花の季節を堪能してみたいものだと思う。

古今集には在原業平の作と伝えられる次の作品がある。

月やあらぬ春や昔の春ならぬ我身ひとつはもとの身にして

春はふたたびめぐってきたが、あなたはもういない……これは死者にとりのこされた者の痛恨と嘆きだ。だが、この嘆きを反転して、死にゆく者を万天の花吹雪で送るような、超高齢社会にふさわしい佳句に出会った。

黒田杏子《ももこ》さんの作品では、ボケすら美しい。愛誦句になりそうだ。

ひとはみなひとわすれゆくさくらかな

髪

おんなら誰でも、美容院のお世話にならないひとはいないだろう。

十代の頃、それまで通っていた床屋さんから美容院へと行き先が変わったとき、ひそかにおとなになったような誇らしさを感じたものだ。美容院では顔を剃ってもらえなくて、どちらにしても産ぶ毛は生えてくるのに、これからどうしたらいいのかしら、と心配したことも覚えている。

髪はおんなの命……というつもりはないが、顔をふちどる額縁、アタマに一番近い身体のパーツ、好きなひとからは愛撫され、悔しいときにはかきむしりたい思いのする感情表現の場所。その髪をいじってくれる他人が、美容師さんである。

思えばふしぎな職業だと思う。

髪も顔も自分の目からは見えない。他人にどう見えるか、というだけの理由でわたしたちは顔をいじり、髪の毛の手入れをする。メークをプロにゆだねるひとは多くないが、髪の毛だけはプロにお願いしなければ手入れはむずかしい。

それになんと言っても美容院の快楽は、他人さまがわたしの外見について、あれこれ心を砕いてくれるところにある。容貌についてではないところが大事だ。容貌はかんたんに変えられないが、髪型は変えられるからだ。

ヘアカットを長年にわたって家族にお願いしてきた、あるいは家族のヘアカットを担当してきたというひとがいることは知っているし、それがたんに節約のためだけでなく、愛情からの行為であることも知っている。が、美容師さんが家族とちがうところは、赤の他人が、自分の髪型のために一喜一憂してくれること。前髪が一ミリ短くなったといってクレームをつけたら、これが家族なら「文句言わないこと、やってもらったのに」と、一言のもとに却下されるだろう。美容師さんなら、わずかの髪の長さのちがいにも「そうですねえ、こちらがいいでしょうか、お客様にはこちらがお似合いのようですから、こうしましょうか」と、客の迷いにつきあってくれる。たとえ内心では、「あんたの前髪が一ミリ短かろうが長かろうか、そんなこと世間さまは気がつきもしないのに。気にしてるのはあんただけよ」と毒づいていたとしても。

他人に自分の身体の大切な部分を預ける。そして、悩みを共有してもらう。医師とはちがって、なくてはならない必需財ではなく、ぜいたくなサービスだ。髪は額縁、顔はそのなかの絵だが、額縁のなかみについては触れないでおく。それに髪型についてはあれこれ相談しても、それが覆っているアタマのなかみについては立ち入らない。ときには円形脱毛症を発見したりして、客のカウンセリングをやることもある。

美容師とよく似た職業に、エステティシャンと呼ばれるひとたちがいる。このひとたちが、ひたすら肌についてだけお手入れをとなえ、容貌と体型については言及しないことも、美容師と符合する。顔やカラダを変えるのはたいへんだが、スキンケアは手入れしだいでなんとかなる。そして「なぜあなたも努力しないの?」と脅迫の言辞が追ってくる。だから「お肌がきれいね、お手入れがいいのね」とほめるのは、容貌や体型をほめるより、ずっとやりやすい。

美容師やエステティシャン、これにネイルアーチストやマッサージ師までを加えてもよいと思うが、こういう職業を、わたしは「グルーミング産業」と呼んでいる。相手をなで、さすり、いたわり、かまい、ほんとうはどうでもよいささいなこだわりや苦楽を共にして一喜一憂してくれる。思いがけず客から悩みを吐露されることもあるが、できるだけプライバシーには立ち入らず、内面には踏みこまない。客も心得ていて、ホンネをもらすようなふりをしながら、その実少しばかり見栄を張っている。なぜなら、グルーミング産業とは、変身の場だからだ。家業に追いまくられる妻が、ひととき「奥さま」になり、フリーターの娘が「お嬢さま」になる。客の家庭のオモテもウラも知っているご近所の美容師さんとはちがって、都会の美容師を相手に家庭の事情をぶちまけて、自分の幻想を自分から破るようなことはしない。幻想にひたっていたいのは、自分自身だからだ。

奇妙なことに、美容師には男が多い。圧倒的に女性が顧客となる産業なのに、男性美容師は、美容業界ではとくべつな位置を占めているようだ。男性エステティシャンがいないことを考えると、ふしぎなことだと思う。肌に直接触れるから、というのでは理由にならない。男性マッサージ師はたくさんいるのだから。

男性美容師を指名する女性客には、はまるひとが多いようだ。指名した男性美容師がほかの客でふさがっていたり、休みをとっていたりするとごねたりする。店を移った男性美容師さんのあとを追って、遠くの美容院に通うこともある。ホストクラブに通ったことがないからよくはわからないが、この気分はホストクラブの指名ホストとの関係と似ているだろうか。わたしも店を移った男性美容師さんを追いかけたことがあるから、この気分はわかる。それにホストクラブに比べれば、使うおカネもずっと安くてすむし、はまっても限度があるから安全だ。

よくは知らない男が、数時間わたしの貸しきりになって、わたしの外見についてあれこれ心を砕き、手を貸してくれる。他人にはめったにさわってもらえない髪の毛をいじり、かゆいところに手が届くような奉仕をしてくれる。髪の毛を他人に洗ってもらいながら、この世の中にこれほどの贅沢があろうか、と思う。髪の毛を洗ってもらうなんて、子どものときに親に洗ってもらったとき以来。病院のベッドの上で看護師さんに洗ってもらうときは、ひたすら感謝しなければならない立場で、奉仕してもらっているとは感じられない。高級なシャンプーのよい匂いに包まれながら、「かゆいところはございませんか」という囁きが耳に届くときの至福と言ったら！　ああ、そこいらじゅうがかゆいからずっとずっとさわっていて。「ええ、もうけっこうです」と答えたくなんかないのに、と思ってしまうほど。この気持ち、男にはわからないでしょうねえ。

「奥さまはこちらのほうがお似合いですよ」と、ブティックの男性店員だって言うかもしれないが、美容師さんなら高い買い物をさせようと下心があるんじゃないか、なんて疑わずにすむ。心を尽くそうが尽くすまいが、どのみち、カットの料金はおんなじだ。

「ウエノさんは、髪がくせっ毛だから、こっちのほうが似合うとボクは思うな」なんて言ってもらえると、「いいわよ、おまかせしちゃう。好きなようにして」と相手に身をまかせるときの快楽。どうせ家に帰っても、髪型が変わったことに気がつかないパートナーが待っていたりするのだ。

かまってもらいたい、いじってもらいたい、自分に関心を持ってもらいたい……、少しでもノイズの発生を巧妙に避けるクールな人間関係が進行するその裏側で、そんな他者からの関心への欲望が熱を帯びて充満していると感じたのはいつ頃のことだっただろうか。だが、ほんものの関心は自分を傷つけるかもしれない。それならカネで買える安全な関心を手に入れるほうがよい……だから、グルーミング産業への需要はこれからますます増えるだろうと二十年以上前に予測した。そのとおりになった。

外見は他人のためのものだ。自分の顔は自分で見ることができないようになっているからだ。ひとは自分のためには装わない。いや、そんなことはない、わたしはわたしのために、誰にも会わない日にもちゃんと化粧をし、美容院には定期的に通っている、というひともいるが、そういうひとは自分のなかに社会の視線をきっちりとりこんでいるのだろう。つねに他人の目で自分を律するという倫理を内面化しているひとは多くない。他人と会う日と会わない日、ONとOFFの日のわが身の装いの落差を見れば、そのことはすぐにわかる。

最近、美容福祉士という認定資格があることを知った。美容師の資格を持ったうえで、介護福祉士資格も取得したひとのことだという。高齢者施設をおたずねして、髪の毛のカットやメイクをしてさしあげると、お年寄りはことのほか喜ばれる。いつもの顔ぶれのほか、誰に会うわけでもない。どこかに出かけるあてがあるわけでもない。セットした髪の毛は一晩で崩れるし、せっかくのメークは洗顔すれば落ちる。それでも、他人が自分の外見に関心を持ってくれ、それを少しでもよくするためにあれこれ心を尽くしてくれ、「さあ、おばあちゃん、きれいになったでしょ」と励ましてくれる。老女が肌に悪いファンデーションや、不自然なルージュを塗ることを、キモチ悪いと思うひともいるかもしれない。おんなは死ぬまで装いを忘れない生きものだと、「女の業」を思い浮かべるひともいるだろう。だが、装いの結果ではなく、その過程、他人が自分の外見に関心を持ってくれるというそのこと自体が、お年寄りにはうれしいのだろう。

美容師さんって、いい職業だな、と思うのはそんなときである。

風呂

一日のいちばんの楽しみ……それは入浴だ。

夜遅く、疲れ果てて家に帰る。それからだってメールをチェックしたり、雑用が待っている。一段落したら、時計の針は十二時をまわっている。

それからお風呂の準備をする。

いまでは全自動だから、ほんとにラクになった。以前は湯を浴槽に張るのにうっかりしてあふれさせたり、湯沸かしの時間を忘れて沸騰寸前にしたりした。そのうち一定の湯量になったら、ピピピと信号で教えてくれる親切な浴槽があらわれ、最近では自動的に温度も湯量も調節してくれるので、失敗がない。

いや、失敗はある。すっかりお風呂の準備が整ったと思って、すっぱだかになってお風呂に入ると、がーん、すっからかんでお湯がない、なんてことがままある。浴槽の水栓を閉め忘れたために、全自動の湯沸かし浴槽が、自動的に空だきを防いでくれたのだ。人間が失敗しないように、安全装置まで組みこんでくれている。空だきで火災を起こすよりも、からの浴槽でハダカでふるえているほうがまだまし。

わたしはひとり暮らしだから、お風呂もひとりで入る。

好みの低めの温度に合わせて、お湯のなかに手足を伸ばすときの快感と言ったら……冷えた手足に血が通い、からだがすみずみまでほぐれていくのがよくわかる。

ああ、至福。

こんな楽しみを持っているのはわたしだけかと思ったら、おひとりさまにはお風呂好きが多い。おひとりさまなら、だれからも邪魔されず、だれからも急かされず、ゆったりと二十分でも三十分でも入っていられる。家族がいれば、「いつまで入ってるのよ、もう出てよ」と声がかかるだろう。

そう思っていたら、おひとりさまが住宅選びで重視することがらに、浴室設備が収納に次いで多いという、東京ガスの都市生活研究所の調査結果があることを知った(「おひとりさま術」連載第五回「住まい」/「毎日新聞」二〇〇八年一月九日付)。やっぱり。

いつも頭を悩ますのが、お湯の量である。手足を伸ばしたいから、浴槽は家族用の大きなのが好きだ。以前住んでいたマンションには、膝を折らなければ入れないステンレスの浴槽が設置してあった。古代の甕棺《かめかん》スタイルだ。保温は抜群によかったが、足を伸ばせないのが哀しく、西洋風のながながと手足を伸ばせる浴槽にあこがれた。いまの家のお風呂は、わたしには広めでうれしい。浴槽になみなみと湯を張れば、二〇〇リットルは入る。そうすれば、からだを沈めたときにバスタブから湯があふれだし、温泉気分が味わえる。

だが、気の小さいわたしには、これができないのだ。

半分にすれば一〇〇リットル。これだとからだを沈めてぎりぎりのライン。だがなんだかせこくて情けない。あと少し、豊かな気分を味わうために、一二〇リットルにするか？それともいっそ……で悩んでしまう。ほんのわずかなちがいだけれど、毎日の小さな迷い。水道料を気にしているからではない。

このお風呂に入るのは、わたしだけ。あとに続くひとはいない。一度張ったお湯は流してしまう。二十四時間バスというものがあることは知っているが、なにやら衛生上問題がありそうで、積極的になれない。一度使っただけのお湯を一〇〇リットル、流してしまうことに罪悪感がぬぐえないのだ。それが一二〇リットルになると……。ましてや二〇〇リットルなんて！

世界にはお風呂に入れないひとたちがたくさんいる。チベットを四十五日間旅行したときには、お風呂に入ったのは四十日ぶりだった。カトマンドゥのホテルのバスタブに、たまりにたまった垢《あか》が浮かんだ。とはいえ、チベットのひとたちはもっとお風呂に入らない。彼らが入浴するのは一生に二度だけ。一度目は生まれたとき、二度目は結婚するときだという。中世のフランスでも、入浴するのはそんなものだ。お風呂に入る習慣がある、それもシャワーではなく、浴槽に浸かる習慣のある民族は、そう多くない。

それに比べれば四十日くらい、なんでもない。わたしはアウトドアライフの経験者だから、いったん山に入ったら一週間くらいお風呂に入らないのはあたりまえ。山から下りてザックを背負ったまま、松本市内の銭湯に、どかどかと山靴でかけつける。それが楽しみだった。いまから考えれば、汗くさいし、きたないし、まわりのひとたちにはずいぶん迷惑だったことだろう。

チベットのひとたちの肌は、日焼けしたうえに塗りつけたバターで、黒光りしている。極端に乾燥した風土では、油脂分を洗い流さないほうが肌にはよい。

わたしもかなりな乾燥肌。冬になって乾燥してくると、かゆみが出てくる。それならいちばんいいのは、石けんを使わないことだ。肌の脂《あぶら》は大切な保護膜だから、冬のあいだは、お風呂に入っても、石けんでからだを洗わない。半年近く「チベット人する」ことになる。ましてや韓国式垢すりなど論外。せっかく溜めた垢を根こそぎ持っていかれるなんて、もったいなさすぎる。

世界のいろんな土地を旅してくると、水道栓をひねれば水が出てくるとか、お湯がちゃんと沸くとか、浴槽がこわれていないとかのことが、いちいちびっくりするほど、ありがたい。発展途上国のホテルでは、浴室があっても、お湯が出てこないところはいくらでもある。おっかなびっくり栓をひねってみて、ああ、出るんだ、と安心したことがしょっちゅう。それでも途中で止まったり、時間が過ぎると出なくなったりで、油断はできない。お風呂に入るのは、とても贅沢なことなのだ。

一日の終わり。疲れ果てたわたしに、その贅沢を許してやる。そして一〇〇リットルにするか、一二〇リットルにするか、ささやかな悩みを悩む。今日はひとしごとが終わったから、自分にごほうびで、ええい、一二〇リットルにしてやるか、って決心するときの気持ちよさと言ったら！　そのためには迷いをふり切らなきゃならない。

たまにお友だちがお泊まりに来たときは、ふたり分だもんね、と言い訳しながら、鼻歌気分で二〇〇リットルを選ぶ。そして浴槽からこぼれるお湯に、このうえない豊かな気分を味わう。

そのささやかな贅沢に花を添えてくれるのが、入浴剤である。今日は何を入れようかな、という楽しい迷いが待っている。日本には各地の温泉銘柄の入浴剤がいろいろある。乳白色に濁ったのもあれば、泡の出るのもあるし、薬草や香油などさまざま。外国にいる日本のひとにもおみやげに持って行ってあげる。

以前長野県の「源泉掛け流し」をうたった温泉が、入浴剤を使っていたことが暴露されて、陳謝したことがあったが、濁り湯で有名なその温泉地へ出かけた温泉客たちがそれに気がつかなくて満足して帰ったのなら、それでいいじゃないか、とわたしなどは思ってしまう。入浴剤で、今日は登別の湯、明日は湯布院の湯、と味わえるなんて、こんなぜいたくはない。だまされるのも、気分のうちだ。

いろいろ試してみて、いまのところいちばん気に入っているのは青森産のひば油。スプレーで湯にまくと、香ばしい森の精気がたちのぼってくる。湯に浸かりながら、森林浴をしている気分だ。目をつむると、ポリバスが檜のお風呂に思えてくる。ほんものの檜風呂に入ったって、これほど鮮烈な匂いはしないから、この香油はたいしたもの。

青森方面に出張に行くひとには、お願いがあるの、とこのひば油を買ってきてもらう。空港の売店に売っているからだ。と思ったら先日、上野駅のコンコースで、大量に売られているのを見て、がっくり。そのうえ、青森県物産店もあって、そこにも置いてあった。なぁんだ、いつでも買えるんだ。

そのあと、アフターバス・タイムが待っている。好きなガウンにカラダをすべりこませて、それからお肌のお手入れだ。ラベンダーやマンゴーの香りのあるクリームや乳液を使って、乾燥しやすい肌をマッサージする。友人たちに訊いてみて、もうひとつ、おひとりさまに共通の楽しみを持っているひとたちが多いことに驚いた。それはお風呂上がりにすっぱだかで歩きまわること。ほかにだーれもいない、ひとりだけの空間なら、だれに遠慮することもない。おっぱいが垂れていようが、おなかが出ていようが、他人に見せるわけではなし、湯気のたつカラダで、のびのびとふるまえる。

そうか、あなたもそうだったのね。

それにしても、一日でいちばんの楽しみがお風呂の時間だなんて、わたしの楽しみはなんてささやかなんだろう、と思ってしまう。そして一〇〇リットルにするか、一二〇リットルにするか、で迷う自分の気の小ささが、きらいではない。

3

年齢を重ねて

青春

「青春」というテーマでうかうかと原稿を引き受けたことを、心底後悔した。

「僕は二十歳だった。それがひとの一生でいちばん美しい年齢だなどとだれにも言わせまい。」

そう書いたのは、ポール・ニザンだった。

そのとおり、二十歳《はたち》なんてろくでもない年齢だ。未熟で無知で傲慢で、経験も自信もなく、自分が何者かを知らず、世間も他人をも知らない。自分がその年齢だったときに、二十歳が美しい年齢だとは思えなかったし、いまどきの若者の二十歳を見ても、ちっとも美しいとは思えない。迷いと不安で混乱し、他人に振りまわされ、他人を振りまわしている。

「二十歳、いいわねえ。うらやましいわ」なんて言うひとの気が知れない。

思い返してみても、自分の二十歳にうれしい思い出はない。唇を噛むような後悔や、思いだしたくないような恥ずかしい思い出や、情けない記憶ばかり。

二十歳に戻してあげる、と言われたらごめんこうむりたい。あんな年齢は一度でたくさんだ。

実際、その年齢のさなかも、自分が中途半端な時期を通過していると感じていた。二十歳になったとき、最初に思ったのは、二十代をまっしぐらに駆け抜けて、一刻も早く三十代になだれこみたい、と思ったこと。二十代が惑いの年齢であることを予感していたのだろう。二十歳になったとき、自分の二十代がどんなものか予想することができなかった。なにしろ、一年後の自分すら、想像することができないぐらい、一日一日を必死でやり過ごしていたからだ。男と恋愛はしていたが、その男との一年後を想像することができず、ましてや結婚や、出産や、就職など、考えることもできなかった。

二十代のわたしは、大学院生という名前のプータローだった。つまりていのよい失業者だった。向学心も向上心もないのに、就職したくないというだけの理由で大学院に「入院」し、モラトリアム人生を送っていた。院生のあいだでは、進学を「入院」と呼びならわしていた。それには、「入院生活が長くなると社会復帰がむずかしくなる」という自虐的なアイロニーがこめられていた。大学闘争が完全に解体したあとのことだ。先の見えないまっくらなトンネルに入った気分で、高倉健にならって、「世の中、右も左も、まっくらやみでござんす」と呟くのがやっとだった。

気持ちはますます偏狭に、態度はますます狷介になるいっぽうで、それでは世間から遠ざかるのは当然だった。ドクターコースを五年修了したあと、オーバードクターという名の、ほんものの失業者を経験した。

ある日、地方新聞の求人欄を眺めていて、愕然とした。紙面の五分の四を占めるのは男子募集。片隅にある「女子募集」の欄にあるのは、「女子事務員募集、珠算三級以上、簿記経験者優遇」とか「ホステスさん募集、宿舎あり」「スナック・アルバイト募集」などなど。その年齢までに相応の社会経験を持っているほかの女性と比べたら、わたしは自分がいかに「無芸無能」であるかを痛感したし、それなら「女なら誰でもできる仕事」を志すにも、薹《とう》が立ちすぎていた。

わたしはそのとき初めて、自分がもしかしたら大学院というところで職業教育を受けているのかもしれないと思い返し、自分の選択肢が大学に就職するという限られたものであることを知った。覚悟を決めて大学教師の公募に応募を始めたが、それというのも指導教授との関係がよくなかったせいで、就職の世話をしてもらえる可能性がまったくなかったからなのだが、みごとに連戦連敗。「残念ながらあなたのご期待には添えませんでした」

という通知を、何通受けとったことだろう。

ふしぎなことに、そのあいだも天をも地をも恨んだことはない。不採用通知を受けとるたびに、世間はわたしをお呼びでないのね、と思ったが、同じくらい、わたしのほうでも世間をお呼びでないからおあいこだ、と不遜にも思っていたからだ。あるときふっと気がついたら、わたしと同じくらい無能な同輩の男たちが就職していった。そのとき初めて、もしかしたらこれはわたしが女だからだろうか、と疑問を持ったのだから、ほんとにぼんやりしている。まだ大学進学率も上昇期にあり、教員採用マーケットが拡大していた時代のことだ。いまみたいに大学院生が高学歴フリーターになることがあたりまえの状況は、まだ来ていなかった。

明日がどうなるかわからないのに、ふしぎと三十代になったときの自分を想像することはできた。三十代になったら……新興宗教の教祖か、もしそれが無理なら、呑み屋のおかみになっていたかった。自分にオカルト的な要素がないことはすぐにわかったから、前者はあきらめた。呑み屋のほうは、その頃わたしが通っていた、「お酒」と言えば黙ってコップ酒で二級酒を出してくれるような場末の呑み屋のイメージ。風采のあがらないもう若くない客や、鬱屈した浪人生などが、通ってくるのを想像した。おかみのわたしは客をえり好みし、相手の顔を見て値段を決めるのだ。雪の降る香林坊（郷里の金沢の繁華街だ）

の裏通りで、カウンターだけの一杯呑み屋をひとりで切り盛りしている、ちょっとくたびれた偏屈なおかみ、それがわたしだった。いまから考えても、とても二十歳の女が想像する将来像には思えない。

　新興宗教の教祖にも呑み屋のおかみにもなれなかったが、結果としてなった社会学者という職業は、そのどちらにも似ているかもしれない。頼まれもしないのに社会の行く末を予言し、ひとりひとりの不安やニーズに応えてあげる接客業ではある。

　三十代に入ったら、予想どおりラクになった。自分が何者で、何ができ、何ができないかがようようわかってきて、世間にはわたしの知らないことがいっぱいあることが骨身に沁みて、少しは忍耐強く、そして謙虚になった。そしたら友人が増えてきた。二十代のわたしにつきあってくれたひとたちには、申し訳ない思いだ。だれと、いつ、めぐりあうかは出会いもの。あとで友人になったひとたちと、このひとと二十代で知り合っていたら、お互いに親しくならなかっただろうなと思うことがままある。

　七十歳以上の男女を対象にした、「もしもう一度人生をやりなおせるとしたら、何歳に戻りたいか」という調査結果を見たことがある。回答は男と女でちがっていた。どちらも二十代とは答えない。それはそうだろう、若さに価値があるとはかぎらない。男性の答えがいちばん多いのは五十代。女性の答えが集中するのは三十代。わかりやすい。男の五十代は、地位と収入と権力のピークだからだろう。他方、女の三十代は、出産と子育てのまっさいちゅう。無我夢中で過ごした充実の年齢なのだろう。子どもを産まなかった女にとっても、三十代は、体力・知力・気力のバランスがとれた開花の年齢。むだに見えた二十代の彷徨の経験がすべて生きてくる。

四十代には曲がり角を感じた。五十代には隠しようのない衰えを感じた。世の中には、「いまのわたしがいちばん好き」「いまの年齢がこれまでで最高」と答えるひとがいるが、わたしはそれほど脳天気ではない。どの年齢にも、よいことも悪いこともある。還暦にもなってみれば、自分の人生はもはや過去形で語るほかなく、どれもとりかえしのつかないことばかりだ。やりなおしはきかないし、くりかえしはごめんこうむる。悪い人生だったとは思わないが、にんげんをやるのは一回でたくさんだ。

若い頃の一時期を過ごしたアメリカの大学に招待されて、キャンパスの宿舎で過ごしたときのことだ。構内を歩いていると、めだたない石碑があった。アイヴィ・リーグの名門大学のひとつであるその大学の卒業生が寄付した記念碑だった。その文面に、こうあった。

「この大学での時間が、わたしの人生を変えた。」

ちょうど新学期で、キャンパスに戻ってきた学生たちがあわただしく往き来していた。

まだ自分が何者かを知らず、世界が何であるかの無知と不安におびえて、緊張で頬を紅潮させた二十歳前後の若者たち。自分を待っている未知の将来に、徒手空拳で立ち向かわなければならない者たち。彼らには未来だけがあり、他方、そのあいだを歩いているわたしは、自分の人生の大半がすでに過去に属していることを知っている。

そのとき、突然、わたしは灼けるようなねたみを感じて、そんな自分に驚いた。

青春とは、そのさなかにいる者にとっては少しもありがたくなく、ふりかえったときにだけ、胸を締めつけられるものかもしれない。

うた

浅川マキばかり、聴いていた。

「右も左もまっくらやみ」の時代だった。トンネルの出口は、見えなかった。

七〇年代はじめ、大学闘争というものが——わたしは「大学紛争」とは呼ばない。あれは紛争ではなく、闘争だったからだ——完全に解体したあとのことだ。

静けさを回復したキャンパスになじめず、わたしはちまたをうろついていた。

学友たちと肩を組んで歌った「インターナショナル」などという闘争歌は、もはや歌う場もなく、わたしたちに歌う歌は残されていなかった。

敗北したおとこたちは、任侠映画の高倉健が死地に赴く後ろすがたに陶酔し、映画館の暗闇のなかで「健さん、後ろがヤバイ！」などと叫んでいた。「世の中、右も左もまっくらやみでござんす」は、その健さんの決めぜりふだった。おとこたちは、「唐獅子牡丹」

などを歌って、敗北の感傷に浸っていた。

すすり泣き、むせび喚《な》くような演歌は、その日本的な湿度がきらいで、気持ちにしっくりこなかった。そればかりか、女を歌えばあまりのご都合主義に、歌詞についていくのも苦痛だった。「着てはもらえぬセーターを、涙こらえて編んでます」という都はるみ（ちなみに彼女もわたしの同世代である）の「北の宿から」なんてのを聴くと、「こんな女、いるわきゃねーだろ」と毒づきたくなった。まして泣き節の男性歌手が歌う女の一人称の演歌なんて、サイテー。ティーンズのアイドルが歌うポップ歌謡曲などは、論外だった。

フォーク系の歌手の感傷には辟易したし、好きだったニューミュージックは、その頃の気分にはどれもあまりに脳天気すぎて、歌う気にはなれなかった。

わたしには、ほんとうに歌う歌がなかったのだ。

そんなある日、深夜ラジオから耳に飛びこんできたのが浅川マキだった。おもいっきりはすっぱな、そして暗い情念を感じさせる声で、彼女は「かもめ」（寺山修司 作詞）を歌っていた。

おいらが恋した女は港町のあばずれ
いつもドアを開けたままで着替えして

男たちの気をひく浮気女
かもめかもめ　笑っておくれ

演歌では港みなとを渡り歩くのはおとこ、それを涙で送りだすのはおんな、と決まっていたものだ。でも、浅川マキの歌では、女はかもめのように自由だった。即座に、風と波の荒い、北の海のさびれた港町を、コートの襟を立てて歩く、もう若くない女のすがたが思い浮かんだ。どこにも居着かず、だれにも頼らず、流れていくが流されることのない、孤独な女のすがたである。浅川マキの郷里が、わたしの郷里、金沢と近い、その隣町の美川という港町だということを、あとで知った（そのうえ、同じ高校の卒業生であることも）。

それから浅川マキの歌が、わたしの持ち歌になった。

カラオケが登場して以来、自分が歌うのを他人に聴かれるのはイヤ、他人が歌うのを聴かされるのはもっとイヤ、とブームがピークのときも、カラオケのある呑み屋やバーからは、入り口だけで立ち去ったわたしが、である。

小節のきいたブルースふうの浅川マキの歌は、しろうとには歌いにくい歌である。わたしはたぶん音程をはずして、自己流に歌っていたにちがいない。浅川マキの歌は、他人に聴かせる歌ではなく、自分に聴かせる歌だった。

彼女には、「夜が明けたら」という歌もある。

夜が明けたら一番早い汽車に乗るから
切符を用意してちょうだい
私のために一枚でいいからさ
今夜でこの街とはさよならね
わりといい街だったけどね

「切符を一枚でいいから」というのが、潔いではないか。捨てられたわけでもなく、逃げるでもなく、自分から選んでその地を立ち去る女の後ろすがたが浮かんだ。いろいろあったけど、と呑みこんで、恨むでもなく、強がるでもなく、新たな天地を求めて去っていく、けれど少しくたびれた女のすがたが。

そう言えば、去る女と送る男、という構図は、ほかの歌手も歌っていたっけ。シンガー&ソングライターのイルカも「君の乗る汽車」を雪の舞う駅で送る男を歌ったが、わたしはあの手の「青春の感傷」というやつが苦手だった。当時の年齢にしては、よほどのすれっからしだったのだろう。そのわたしが、ずっと「一枚の切符」を握りしめたまま、数十年たってから『おひとりさまの老後』（法研、二〇〇七年）なんて本を書くとは、その頃は想像もしなかったが。

ある日、さる教授のお宅へ招かれ、ほかの学生たちと一緒に、教授夫人の手料理をふるまっていただく機会があった。当時、ひとづきあいの悪かったわたしとしては珍しいことだった。ギターを鳴らしたり、歌ったりしたひとときのあと、「ウエノさん、あなたは？」とおはちがまわってきた。

それなら、と歌ったのが、わたしの「持ち歌」だった「かもめ」だった。

この歌が好きだった。だから、選んだ。

が、善良な教授夫人が困惑した表情を浮かべ、その場は固まった。わたしはきっと「空気が読めない」とんでもない女だったことだろう。浅川マキの歌は、こういう善男善女のいる場では歌うべきではない、ということを、そのときわたしはようやく「学習」したのだ。

京都でカネのない長い大学院生時代を送っていたわたしは、寺山修司の舞台の現物を見たこともないし、浅川マキのステージも知らない。

でも、浅川マキ、と言えば、フラッシュバックする思い出がある。わたしはその頃、二十代だった。

相談

教師という仕事がらか、学生から相談をよく受ける。身の上相談もあれば身の下相談もある。女子学生からも、男子学生からも、相談を受ける。

非常勤講師をしていたときにも、学生から相談を受けた。食えなかった長い大学院生時代、看護師専門学校の非常勤講師をつとめていた頃、ひとりの受講生から、相談を受けた。「白衣の天使というけれど、わたしにはとうてい勤まりそうもない。進路を変えたいのだが……」と。週に一コマ、専門外の社会学を教えに通う学外者のわたしのような者に、そんな一身上の重大な選択について相談するなんて「どうして？」と訊いたら、答えがこうだった。専任の先生方はすべて看護師経験者。看護師養成に熱意を持っている。「こんな迷いを話したら即座に否定されて説教されるに決まっています。学外者の先生だからこそ、相談したんです。」

それはそうだ。なるほど、相談というものは、相談者が相談相手を選ぶものだということに気がついて、感心した。

短大の教師をしていた頃は、わたしの研究室を入れかわり立ちかわり、女子学生がおとずれた。ほかの学生がいない頃を見はからってやってきて、実は、とためらいながら口を開く。下半身がらみの相談が多かった。つきあっている彼がからだの関係を要求するがどこまで本気なのかわからないとか、その反対に彼がいつまでたっても煮え切らないとか、ボーイフレンドがいるのに、夜中にバイクを飛ばして会いに来てくれるもうひとりの彼にどうしようもなく惹かれてしまう自分がいるとか。あるときは、彼と泊まりがけの旅行に行きたいのだけれど、ゼミの合宿を一日延ばしたことにして、親に口裏を合わせてくれと頼まれて、それはきっぱりと断った。「そのくらいは自助努力で考えろ」と言って。

十八歳。性の季節の扉を、おずおずと開ける年齢だった。自宅通学生の多い関西のお嬢さん学校の学生たちは、まだ親の監視下にいた。朝帰りしたら、父親が玄関に仁王立ちしていて、殴る蹴るの暴行を受けた、という学生もいた。「つきあう」ということばが、性の関係があって当然ということを意味する昨今の学生事情と比べれば、まだのどかな時代だった。

大学の研究室は長屋のように部屋が並んでいる。そのなかからひとつの扉を選んで、彼女たちはノックする。わたしは専門のカウンセラーではないから、無条件の受容などはしない。好き・きらいや、よい・悪いなどの自分の意見ははっきり言う。けれどひとは経験からしか学ばない――ときには、経験からさえ学ばない――という信念がわたしにはある。ひとつの選択に本人がすでに傾いているとわかったときには、それをさえぎることはしない。

「しかたないわね、とっくにその気なんでしょ。やってみれば？」と一言いったとき、テーブルの向かい側でうつむいていた学生が顔を上げて、その表情がぱっとかがやいたことを鮮明に覚えている。しまった、はめられた、と思ったことも。相手のほうがうわてだった。たくさんの扉のなかから、彼女は自分の肩を押してくれそうな扉を選んでノックしたのだ。選んだのは彼女で、わたしは選ばれたにすぎなかった。

相談を受けるとき、たったひとつ、わたしが注意していたことがある。もし万が一その選択に失敗して傷ついたときに、いつでもわたしのところへ戻ってこられるように、絶対に本人の意思を否定しないようにしたことだ。「いけません」と言われた相手のところへは、けっして戻ってこないだろう。だが、失敗しても、その選択を否定しなかったわたしのもとへは、助けを求めに戻ってくることができるだろう……そう思ったからだ。

深更に近い時間、東大の研究室で明かりの灯っている部屋は多くない。そこにふらりとたずねてくる学生がいる。昼間の時間帯は、わたしの研究室はひとの出入りが多く、プライベートな話はしにくい。ひとの気配のない時間帯を見はからってやってくるのだ。

年長の社会人とつきあっているという。性関係はあるが、利用されているみたいだ。ベッドのなかで避妊してくれない。毎回、月のものが来るかどうか、不安でおしつぶされそうになる。それなのに、相手に言いだせない。それをわたしに告げに来る。彼女は食べ吐きを常習にしていた。

優等生。他人の顔色を見て、育ってきた。親や教師の期待に応えるのがしごとだった。さみしさから、男の愛撫に応えた。自分の自信のなさを埋め合わせてくれるような気がした。だが男に対する不信は消えない。かと言って関係を断ち切れない。だれをも責めることができず、自分を追い詰めることしかできなかった。

「言う相手をまちがってない？」とわたしは彼女に言う。

「避妊してほしいんでしょ。相手に言わなきゃ。」

笑わないでほしい。これが東大生の、それもジェンダー研究を学んだ女子学生の現実なのだ。それでもわたしが一笑に付さずにとりあってくれると思うからこそ、重い口を開きにわざわざ夜中の研究室へやってくる。

「あなたは彼から大切にされていない。そのことに向き合わなきゃ。」

わたしは冷静に真実を告げる。どんなつらい真実でも、偽りよりはましだ。いや、最近では、つらい真実よりは、気休めでもよい、ひとときの慰めのほうがまし、と思うようになったのだが。

わたしが本気で相手の男に怒っている気配を彼女が感じとる。そのことに彼女はびっくりする。自分が思っているよりも重大なことかもしれない、と彼女は考え始める。実際には、ことばで否認している不安を、からだが受けとめて、彼女は食べ吐きをくりかえさずにはいられないのだ。

その女子学生が卒業して何年かしてから、メールが届いた。結婚式の写真が添付してあった。いまいちぱっとしないがいかにも実直そうな新郎が、かがやくような笑顔の彼女の傍らに立っていた。そうか、そうか。誠実な男を選んだのね、よかった、よかった……。

上野研究室は別名「保健室」と呼ばれている。ほかに行き場のない学生たちが、なんとなくたむろするからだ。なかには授業には出られないのに、研究室だけには出てくる学生もいる。常連が何人かいて、そのメンバーが入れ替わる。

あるとき、そこにいないひとりの学生のうわさ話になった。

「そういえば、アキラくん（仮名）、最近、見ないわね。どうしてるのかしら」と言うと、ひとりの学生が答えた。

「さあ。お友だちができたんじゃないですか。この部屋に来るのはお友だちいない系のひとばかりだから。」

うまいことを言うものだ、と大爆笑になった。

そう、迷ったときと落ちこんだときに時間を過ごしたら、そのあとはそこから飛び立っていけばよい。「卒業」するのがあなた方のしごとなんだから。

ファン

井上陽水は天才だ、とファンなら言いたくなる。

天才、とは、他の誰にも似ていない、という意味である。

いったい、陽水以外の誰が、陽水のような音楽をわたしたちに聴かせてくれただろうか?

六〇年代アメリカのフォークソングの流れを汲む、日本のニューミュージックのどれとも似ていない。フォークソングとは文字どおり訳せば民謡。アメリカ民謡であるカントリー&ウェスタン調のシンプルなコードで、だれもが歌える単純なメッセージソングだった。一世を風靡したボブ・ディランだって、フォークの女王ジョーン・バエズだって、ピーター、ポール&マリーだって、音楽的にはたいしたことはない。シンプルで誰にでも歌えるからこそ、多くのひとに愛された。日本では吉田拓郎がその系列に属する。

日本版ニューミュージックからは不朽の名作、「神田川」を歌ったかぐや姫や、さだまさし、小椋佳のようなシンガー&ソングライターが生まれたが、感傷性と叙情性の強い日本版ニューミュージックは、結局「ニュー」ならぬポップスのタッチをとりいれた歌謡曲の一種となって定着した。年長の世代も安心して歌える歌謡曲だったからこそ、スタンダードナンバーとして定着したとも言える。

「四畳半ソング」と揶揄された日本版フォークソングを足蹴にして、政治性もメッセージ性もなしに軽やかに都会の風俗を歌う歌姫として登場したのが荒井由実、のちの松任谷由実だったが、彼女は悪声のみならず鈍重な四拍子の曲で、ロックの影響を受けた八拍子のリズムから、時計の針を逆にもどしてしまった。

ちなみに、不世出のディーバ、中島みゆきと夭折のヒーロー、尾崎豊がいるが、どちらも日本版ポップスの味付けを加えた感傷性の強い歌謡曲の一ジャンルとなった。ジャズやブルース、ロックの歌手もいるが、いずれもオリジナルがあっての「日本版」だ。

音楽ファンとは偏狭なものだ。自分に合う、合わないという基準はなんの根拠もないにもかかわらず、ほかの音楽はノイズとして聞こえるのに、好きな音楽だけはそうではない。わたしは歌謡曲も演歌も美空ひばりもよいと思ったことは一度もないが、陽水は初期から聴きつづけた。ミーハーの追っかけであったことはないから、公演に行ったことすらないのに、CDはほとんど買い求めた。狷介で偏狭な音楽の聴き手として、一時期はバッハの、それも器楽曲しか聴こうとしなかったのに、それと同時に聴きつづけたのが陽水だった。バッハと陽水という組み合わせは、どんなバランスのとり方だったのだろう。同じように狷介なバッハファンだったわたしの友人は、バッハと八代亜紀とを交互に聴いている、と告白したことがある。

というわけで、陽水が登場したとき、わたしたちはそれまで聴いたことのない曲を耳にして仰天したのである。

「国民歌謡」であるための条件は、安心して聴くことができ、安心して歌うことができる、ということにある。コードがシンプルで、曲想の展開が予期できる。「ご一緒に」という斉唱もやりやすい。だからこそ、多くのひとに愛され、定着するのだろう。

だが、陽水の歌はそうではない。歌詞も曲想も、なんでこうなるの、という意表を衝く展開を遂げる。だから目も耳も離せない。歌詞にはべたなメッセージ性はなく、語呂合わせというほかないことば遊びにあふれている。しかも日本語の詞には珍しく、頭韻よりも脚韻が多用されている。政治の季節のあとのシニシズムの時代には、たとえ歌のなかであれ「希望」も「明日」も聞きたくないし、「愛」も「平和」もシラケるばかり。かと言って絶望や感傷は、現実のなかだけでたくさんだ。ついでに八つ当たり気味に言えば、久しぶりで見た紅白歌合戦に登場する若手の歌手たちの歌詞が、あまりに「信じる」だの「生きる」だのとべたなフレーズの連続で辟易した。歌のなかでもなければこんなべたなせりふは口にできないのかもしれないが、たとえ歌のなかであってもこんな恥ずかしいせりふは口にしたくない。忌野清志郎がステージから呼びかける「みんな、愛し合ってるかい」のかけ声に「イェーイ」と答える聴衆のひとりにはなりたくないものだと思ってきた偏屈なわたしには、とても聴いていられない。

日本のシンガー&ソングライターの多くは、マイナー（短調）の抒情的なスローバラードが得意だが、陽水は「WHY」や「カナリア」のような思いっきり透明感のあるスローバラードを聴かせたかと思えば、アップテンポの曲も得意だ。この幅の広さも、他の歌手にはない彼の特徴だろう。陽水の曲で好きなものはと問われたら、「闇夜の国から」「氷の世界」などがあがる。「なぜか上海」「ライオンとペリカン」なども好きだ。

それだけではない、彼は、伸びのよいたぐいまれな美声に恵まれている！　わたしたちの世代は、歌い手を最初にラジオで知った世代である。テレビ世代とちがって、容貌や体型が歌手の魅力の条件にはならない。陽水がサングラスで容貌を隠していることや、グラスをはずしたときの容貌がどうであれ、ファンの気持ちは変わらない。

作曲家の武満徹が、生前に「わたしが生涯で創りだした時間は……」というのを聞いて胸を衝かれたことがある。なるほど、音楽とは純粋時間の持続。それは限られた時間のなかで世俗的な生活を送っているわたしたちに、神の賜った一刻《ひととき》の贈りもの。バッハを聴いているとそれが純粋時間の贈りものであることを実感するが、陽水もまた、わたしたちにこのうえない至福の時間を贈ってくれた。

最近、わたしは生まれて初めて陽水のコンサートへ行った。それも歌手活動「四十周年」を記念するライブである。そうか、そんなに時間が経ったのか。一九四八年生まれの陽水は、わたしと同年齢、還暦を越したはずだ。

ステージにわたしが追い求めたのは、かつてわたしが知っていた陽水のイメージだっただろうか。「あいかわらず声が伸びるわね」というほかのひとの声をよそに、わたしは彼の声がピークを越したと感じた。陽水はかつての全盛期の陽水ではなかった。

歌い手のピークとはいつだろうか？　肉体を楽器にする歌手は、肉体の衰えと運命を共にすることを避けられない。オペラ歌手に全盛期があるように、歌手にもピークはあり、それは長くは続かない。

だが、ファンとしてのわたしが思ったのはそれとは別のことだった。陽水は衰える。わたしたちもまた衰える。時間が平等にもたらすものを、誰も避けることはできない。陽水の同時代人として彼の来し方行く末を見届けたいという思いは、衰えもまた芸にして見せてほしい、というものだ。かつての栄光を保ってほしいという聴衆のエゴイズムより、こちらのエゴイズムのほうが、もっとたちが悪いかもしれない。否、パフォーマーの運命とはそんなものではないか？　ポリスのメンバーだったスティングが五十代で日本公演したとき、アタマの薄くなった初老の男が、それでもステージの上で跳んだり跳ねたりした姿に胸が熱くなった。そうなのだ、こうやって歳をとっていけばいいのだ。誰とも似ていない年齢の重ね方を、聴衆の目の前にさらしながら。

ファンとはどこまでも貪欲なものだ。

晩夏

晩夏が好きだ。

アブラゼミに替わってひぐらしがせつなげに鳴き始め、夜陰にはいつのまにか虫のすだく音が否応なしに夏の行くことを教え、ススキの穂が丈高くなって日一日としらしらほどけ始める。ああ、夏が逝くのね、と季節《とき》の終わりをこれほど痛切に知らせる刻《とき》はない。過ぎてゆくもの、衰えてゆくもの、翳ってゆくもの、とどめようとしてもとどまらないもの……が、わたしは好きなのだと思う。

晩夏のひととき。だれもいなくなった海辺のプールのデッキチェアで水にも浸からずに、横になり、ツバ広の帽子で顔を覆い、なぁーんにもしないで過ごす時間が好きだ。できれば遅い午後がよい。

子どもたちの喧噪が去ったあとの、ピークの過ぎた浜辺。日射しはまだ強いが、肌に受ける風はわずかに冷気を含んでいる。じりじりと肌を灼く日射しを、なまあたたかい風がほどよく鎮めて、いつまでもそうしていたいようなけだるい午後。だが時間は容赦なく過ぎて、太陽が傾いていく。そんな晩夏のひとときが好きだ。

二十歳《はたち》になったときから、いっきに三十歳になれたら……と願ってきた。苦くて先の見えない青春は一刻も早く通り過ぎたかったし、おんなの盛りを自分が経験するとは思えなかった。盛りとは、季節の盛りでもあり、生きものの盛りでもある。

たけだけしいほどの緑や生命の充溢する夏の盛りは、できれば避けて通りたかったし、どうしても通過しなければならないとしたら、ひっそり足早に通り過ぎたかった。

盛り……性愛の季節の盛りでもある。はたちの頃。わたしは自分でもえたいのしれない性欲をもてあましていた。あとで同年齢の男の子たちが同じように、あるいはもっと強いかもしれない性欲に翻弄されていたことを知って、それならあの頃、もっとやさしくしてあげたらよかったと、後悔したものだ。

気がつけば、わたしはほんとうに生きものとしてのおんなの盛りを、経験しなかったかもしれない。まぐわい、孕み、産む。哺乳動物となって仔に乳をふくませ、夢中になって子育てする。はりきって充実した胎、はりきって痛いほどの乳、茜がさすつややかな肌。天心に真夏の太陽があることを忘れていられるほどの、充実した生きものの季節《とき》。

わたしは意図してその「おんなの盛りの季節」を避けた。その選択を少しも後悔はしていないが、自分が何を得られなかったかはよく自覚している。

考えてみれば、はたちのとき、まっしぐらに三十代に突入したいと願ったあの思いを、わたしは実現してしまったかもしれない。「三十代」は「盛りの過ぎたおんな」の代名詞だった。いまの三十代のように、性愛の市場からも、結婚の市場からも退出していない「負け犬」たちの登場に先立つこと、約半世紀近くも前のことである。

観光客がいなくなった季節外れの海辺のホテルのプールサイド。

こんな晩夏のシーンが、森瑤子さんほど似合う作家はいない。

「夏が、終ろうとしていた。」

森瑤子さんの『情事』（集英社、一九七八年）は、こんな印象的な出だしから始まる。彼女がこの作品ですばる文学賞を受賞してデビューしたのは三十八歳のとき。処女作と言うには、遅い出発だった。

夏の終わりと言えば、瀬戸内晴美、いまの瀬戸内寂聴さんが女流文学賞を受賞した出世作も、『夏の終り』（新潮社、一九六三年）というタイトルだった。森さんが瀬戸内さんの作品を意識していたかどうかはわからない。だが、瀬戸内さんが『夏の終り』を書いたのは四十一歳。夫と子どもを置いて婚家から出奔し、長年にわたる不倫を描いたこの作品は、女の性愛の盛りを過ぎた頃に書かれた。『夏の終り』に、たんなる季節のうつろいではなく、人生の夏の翳りを重ねてあるととるのは自然だろう。

「青春朱夏白秋玄冬」ということばがある。多くの作家は青春小説でデビューするが、森瑤子さんも瀬戸内寂聴さんも、朱夏小説で、というよりもその夏の盛りが過ぎようとする季節に作家として出発した。女の朱夏は、結婚、出産、育児……生きものとしての実りの時である。さかりがつく、とはよくも言ったものだ。性愛に衝き動かされ、孕んで充実していく胎内に生命をはぐくみ、産み落としたいのちを夢中になって育てる……これほどの実りの時があるだろうか。

女性の作家にふしぎと出産・育児小説というものがないことをわたしは疑問に思っていたが、この時期は、その余裕がないだけでなく、内省や自問と無縁の、全力疾走の時期なのかもしれない……と子産みも子育ても経験したことのないわたしは推測するばかりである。

ちなみに妊娠小説というものはある。だがそれも『妊娠小説』（筑摩書房、一九九四年）という卓抜な著作でデビューした斎藤美奈子さんによると、「予期せぬ妊娠をして困惑している女や妊娠させた男」についての物語が圧倒的で、愛する男性とのあいだに期待どおりの妊娠をして幸福の絶頂にいる女主人公の話ではない。人生の幸福の絶頂と言えば、よく結婚式があげられるが、出産を経験したひとたちの話を聞けば、初めて子どもを産んだときの感動は、それにはるかにまさるようだ。どうも、文学という表現の形式に、「幸福」は似合わないらしい。

森さんの『情事』にはこういう文章がある。

「自分が、若さを奪い取られつつあると感じるようになると反対に、性愛に対する欲望と飢えが強まっていった。セックスを、反吐が出るまでやりぬいてみたいという、剝き出しの欲望から一瞬たりとも心を外《そ》らすことができないでいた期間があった。」

「セックスを、反吐が出るまでやりぬいてみたい」というこの文章は、またたくうちに彼女と同世代の女性読者のあいだに拡がり、渇望を掻きたてた。三十代の終わり。夫にも子どもにも不満はない。家庭を壊すつもりもない。だが、自分のおんなとしての「夏」の盛りが終わろうとしている……そんなところに、「女の賞味期限切れ」という身もフタもない言い方を持ちこんだのは、大塚ひかりさんである。

女はいつ「賞味期限」が切れるのか？

思いだすのは、シモーヌ・ド・ボーヴォワールが四十二歳のとき、年下の愛人と旅行をして「女としての肉体を取り戻した」と述懐したことだ。そうだったのか。あのボーヴォワールも、その年齢ですでに女としての自分が終わったと感じていたのか、とショックだった。相方のサルトルはそれからも女性をとっかえひっかえしていたのだから、「賞味期限」のこのジェンダー差は大きそうだ。

とはいえ、こんな話は昔話かと思ったら、うんと年下の一九六六年生まれの酒井順子さんまでが、三十代の終わりに出した本に、『駆け込み、セーフ？』（講談社、二〇〇七年）というタイトルをつけた。酒井さんと言えば、『負け犬の遠吠え』（講談社、二〇〇三年）がベストセラーになったことで有名だが、この本によれば「負け犬」の定義は、「未婚、子なし、三十代以上」というもの。察するに、「三十代」は、結婚市場からまだ退場していない最後の年齢、ということなのだろう。この条件には、性愛だけでなく、その果実としての出産の可能性も含まれている。ひと昔前までは、三十代は高齢出産と言われて要注意とされたものだが、女性にひとりでも多く子どもを産んでもらいたい厚労省は、最近では三十代くらいでは高齢出産とは言わなくなった。

女はいつまで性愛の現役なのか、と言えば、本人がそう望む限り、という答えがある。おんなは灰になるまでおんななのです、とあの乃木大将の母が言ったとか。九十九歳で亡くなった宇野千代さんは、「死ぬまで恋していたい」と言った。

だが「おんなの賞味期限」という言い方のなかには、おんなを欲望の対象とする男の視線が含まれている。死ぬまでにもう一度恋愛したい、おんなとしてもうひと花咲かせてみたい、せめて男の性欲の対象として自分が現役であることを証明したい。桐野夏生さんの『魂萌え!』(毎日新聞社、二〇〇五年)では、夫を亡くしたばかりの五十九歳の女性が、夫以外にはじめての性愛をオクテで経験する。これを読んだとき、わたしはこの女主人公と同じ年齢だったが、五十九歳の性愛が、大事件でもあるかのように書かれていることが意外だった。

盛りを過ぎたおんなには、熾火《おきび》のような性愛がある。それで人生を変えるほどの大事件ではないが、あれば日溜まりのようなあたたかい思いがある。夏が終わり、秋が深まる頃になって、落ち葉の発酵するような熟成した交わりを持つのは、年齢の効果ではないだろうか。

逆風

「向かい風の女」と呼ばれたことがある。

襟裳岬へ行ったときのことだ。森進一が「襟裳の春は、何もない春です〜」と歌うように、ほんとに何もないところだった。

その襟裳名物に強風がある。岬にある観光施設には名物の強風を体験するための風洞実験設備がある。手すりのパイプにつかまって、風速二〇キロを体験する。すごい風圧だ。これが最大瞬間風速四〇キロぐらいだと、確実に看板は飛び、屋根ははがれ、わたしのようなチビはふっとばされるだろう。

岬の突端から見た海には、日本海側とオホーツク海側を隔てる境界線が波を立てて一筋に走り、その海から突風が吹きつける。先ほど体感したばかりの風速二〇キロとまでは行かないが、そうとうの強風だ。

ふと思いついて、風の方向に向かって手を拡げた。着ていたウィンドブレーカーが風を孕んで帆のようになる。そのまま前のめりにからだを倒すと、バランスを保って全身が浮くような状態になった。髪の毛が逆立ち、からだ全体で風を受ける。ものすごい快感だ。笑いがおなかの底からこみあげてくる。わたしを見ていた同行者が、次々にまねを始める。みんないっせいに同じ風の方向に向いて、笑い始める。自分のすがたは見えないが、他人のすがたを見ているだけでもおかしい。子どものように笑って笑って笑い転げる。

「あなたは向かい風が似合うわね」と言われて、それから「向かい風の女」になった。


「逆風に強い」とも言われたことがある。

ひんしゅくは買うもの、とばかり、他人のいやがることをしてバッシングを受けると、来た来た、来た、と身構える。全身の神経が狩人のようにとぎすまされ、いや、サッカーのゴールキーパーのようにあらゆる方向へアンテナが張りめぐらされ、さあどこからでもかかって来い、という油断のない待機モードになる。テンションが上がり、ドーパミンが脳内で放出される。こういう快感を味わうには、どんなドラッグもいらない。勝負師と言われるひとたちの経験には、共通したものがあるだろう。スピード狂のバイクライダーやフリークライミングのマニアなども、一度味わったら、この緊張感がたまらないのだと思う。

あとになってAC（アダルトチルドレン）と呼ばれるひとたちの経験と、この感覚が似ていることに気がついた。アダルトチルドレンとは、大人になりきれない「子どものような大人」のことを指す用語ではない。子ども時代に家族の葛藤を抱えたまま大人になったひとのことを指す。もとはアダルトチルドレン・オブ・アルコホリックス、つまりアルコール依存症者を親に持った子どもが大人になったひとたちを呼んだ。子ども時代に親の暴力や虐待など、トラウマ的な経験をしたひとたちは、大人になっても人間関係にトラブルを生じやすいことから、こういう名前がついた。

葛藤のある家族のあいだで育つと、家庭は安らぐ場所ではなく不安と緊張の場所になる。子どもは緊張に対して身構えるから、ちょうど強風に対して全身で踏ん張るように、じっとしているだけでもエネルギーを使う。それがふつうの姿勢になっているから、風の吹かないところに行ってもその身構えがなくならない。風が凪ぐと前のめりにつんのめってしまうから、なじんだ姿勢を保つことができるような緊張の高い状況を、自ら呼びこんでしまったり、あるいは必要以上に相手に踏みこんでしまったりする。自分にとってあたりまえの風圧が、他の環境ではそうではないことに慣れていないからだ。そうしてそのたびに、「あーあ、またやってしまった」と後悔するのだけれど。

テンションが高くなるとゾクゾクする、あの感覚のもとが子ども時代の家族にある、なんて言われると、なぁーんだ、とつまらない種あかしを聞かされた感じがするが、わたしに限らず問題のない家庭に育っている子どもなどほとんどいないだろうから、そう言われたらだれにでもあてはまってしまうだろう。

それでも風圧の高さになじんだ身体という比喩には、思い当たるところがある。

福岡伸一さんというすぐれた生物学者の書いた文章を読んで得心した。生きものに静止はない。動かないと見えるものは、実は静止しているのではなく、正反のふたつの動きが平衡してからくも保たれている状態——これを動的平衡という——だという。この均衡が崩れると、どちらかの方向へいっきょにカタストロフ的な雪崩が起きる。そのバランスを保つのはむずかしい。非常時のヒーローが、平時のリーダーになりにくいのはそのせいだろう。坂本龍馬も明治維新のあとまで生き残らなくてよかったかもしれない。

だから逆風が吹いてくると、感覚器が全開になって生き生きしてくるというのも困った性格だ。乱世向きではあるが、平時には向かない。

三十代の頃、「今日の非常識は明日の常識!」をかけ声にしていた。その逆、「今日の常識は、明日の非常識」も真。そのとおりになったが、その代わり風向きが変わった。逆風と思ったものが、順風に変わったからだ。いまでも大きなイベントなどに招かれて、主賓席に座らされたりすると居心地がわるい。ここは自分の指定席ではない、と感じる。ずっと野党席にいた政治家が、与党席についたときに味わう気分に似ているだろうか。自分の力でここに座ったのではない、時代の風というものがわたしをここまで押し上げたのだ、と思うからだ。

その思いは、風向きはいずれまた変わる、という思いにつながる。ときどき、わたしが変わったのではなく、時代がわたしに追いついたのよ、と思うこともあるが、それは、追いついた時代にいずれは追い越される、ということと同じだ。ひとは時代を選べない。時代の風はひとときだってじっとしていない。次はどこから吹くだろうか。どんな風向きでもオーライ、と思っていられるのは強みだろう。

時代の風、は比喩だが、ほんものの風も好き。

被災地の方にはもうしわけないが、台風接近の予報を聞くと、わくわくする。雨風の吹きつける台風の日に、防水したウェアをつけてわざわざ増水した賀茂川を見にいったことがある。いつもはおだやかな貌を見せる賀茂川が、轟音を立てて流れていた。濁流に呑みこまれたら、ひとたまりもないだろうな、と思いながら、じりじりと水位を上げる堤に立ちつくした。

いつか台風上陸の日に、高知県の室戸岬にいたい。千葉県の犬吠埼でもいい。どんな気分がするだろう。

それが実現する年齢の頃には、突風につきころがされて、大腿骨骨折とかになるのがオチだろうか。

正月

暮れから正月にかけては、ひとりものの魔の時間だった。

正月は家族の時間。家族持ちは家族のもとに帰っていく。実家のあるひとりものは、実家に帰っていく。だれもいなくなった都会で、三が日は閉めきる商店街を前に、日もちのする食べ物を買いこんで、本格的に冬ごもりでもする気分になった。そういうときには、寂寥《せきりよう》がひとりものの胸に沁みた。

その昔、時間持ち・時間貧乏調査というのをやったことがある。可処分所得が多いひとを「金持ち」というなら、可処分時間、つまり自分の自由になる時間の多いひとを「時間持ち」と呼ぶ。一日二十四時間はだれにも同じ。自由になる時間が多いほど、豊かな「時間持ち」かと言えば、必ずしもそうでないことがわかった。なぁーんにもすることのない時間、一緒にヒマをつぶしてくれる相手のいない時間は、どんなにたくさんあっても地獄だと、調査からわかったからだ。

ひと昔前のひとりものの正月が、そうだった。出かける先はすべて閉まっているし、テレビをつけてみても、どのチャンネルも似たような新年バラエティ番組ばかり。めでたくもない気分で退屈と孤独が骨を嚙む。三が日が明けるとほっとしたものだ。

いまでこそ、大晦日にも元旦にもコンビニが終夜営業をしているし、街の風景は正月だからと言ってそんなに大きく変わらない。三が日台所に立つのを控えるために日もちがする料理をつくったはずのおせちでさえ、できあいの品をかたちばかり揃え、箸をつけたあとは翌日から鍋料理などに変わる。料理をするのがイヤならホテルにでも、ファミレスにでも行けばすむ。ひとりものの正月も、少なくとも不便ではなくなった。

クリスマスが家族の時間だったのはひと昔前まで。それからカップルの時間になったが、だれもが本命とカップルになれるわけではないから、クリスマスは家族やグループや、さまざまな過ごし方のオプションがある。それになんと言ってもクリスマスは輸入品だ。キリスト教徒でもない日本人には、イヴを過ごす相手がいなくても、たいした痛手にはならない。

だが、正月は違う。

ひとりものが、自分が家族持ちでないことを、しみじみ味わう時間が、正月だった。

わたしは長いあいだ、正月は実家で親と過ごしてきた。パートナーがいても、その習慣は変わらなかった。親きょうだいやその子どもたち、全員が集合して、おせちを並べ、お雑煮を用意して、「あけましておめでとうございます」というかけ声と共に、父が家長であることを確認するための儀式……それが家族の正月だった。

両親を見送ったいま、わたしには帰るべき実家はもはやない。

多くのひとにとっては、わたしの年齢になれば、自分の子や孫たちが集まってくれる新しい家族の時間が始まるのだろう。だが、わたしにはその選択肢はない。

ひとりの正月、をほんとうに経験したのは、外国で暮らしたときだった。クリスマスには、学生たちが潮が引くように帰郷する。学生寮やアパートには、遠い外国から来てかんたんには帰国できない留学生たちが残る。家族の時間に、見も知らぬ外国人を交えてくれるひとはそんなに多くない。

ドイツで過ごした一年。キリスト教徒にとっては、クリスマスが一年の節目、日本人にとっての正月のようなものだ。浮き足だった周囲を見ながら、クリスマスには「家族したいなあ」と思っているわたしがいた。

アメリカには、わたしがホームステイしたことのあるカップルがいる。彼らはわたしを家族のように遇してくれた。彼らに連絡して、クリスマスを一緒に過ごしてくれないか、と頼みこんだ。そして大西洋をわたって、テキサスのナッシュビルで不思議なクリスマスを過ごした。ナッシュビルはカントリー&ウェスタンの街。敬虔なクリスチャンである妻に連れられて出かけた教会のミサでは、歌う賛美歌が、どれもカントリー&ウェスタンに聞こえた。

ふたりは「チズコに」とクリスマス・プレゼントを用意して、大歓迎してくれた。暖炉の前にころがってプレゼントを品定めし、一緒に台所に立って、ケーキを焼いた。一週間だったが、わたしは「帰省」気分を味わい、つかのまの「家族持ち」になった。

母を喪い、父を看取ったあとの、お正月。

それまではまるでおつとめのように実家へ帰っていたのに、帰る必要のなくなったその年、わたしはその事実に対して用意がなかった。

今年こそほんとうにひとりの正月を過ごさなければならない、と思ったとき、「家族を探そう」と思った。

親しい女友だちが、女同士、ふたりで正月を過ごすことをわたしは知っていた。「おねがい、大晦日と元旦を一緒に過ごして」とわたしは彼女たちに頼みこんだ。ふたりは快諾してくれ、ささやかな正月気分の手料理と缶ビールで乾杯し、明け方には近くの神社へ、三人で初詣に出かけた。わたしはそのときのことを、いまでも恩義に感じている。会うたびに、「あのときは、一緒に『お正月家族』したねえ」となつかしく思いだす。

ひとりものが「家族持ち」を心底ねたましいと思うのは、こんなときだ。というより、こんなときだけだ、と言ってもよい。

だから、そのときだけ、「家族する」相手を調達する。世界中のあちこちに、わたしと一緒に「家族してくれる」ひとたちがいる。他人の家にもぐりこんで、ぬくぬくさせてもらう。空港で会って、ハグしてもらって、「おかえりなさい」と言ってもらう。なに、ほんの数日の期間限定だ。


このところ、毎年大晦日から元旦にかけては、ひとりものの男女四人で過ごすことにしてきた。夕方から鍋をつつきながら、年に一回だけ、テレビの歌謡番組、ＮＨＫ紅白歌合戦を見る。「まあ、旧態依然だわねえ」「これじゃ視聴率とれないよ」「それにしても最近の日本の子たちって、手足が長くなったこと」と、長いあいだ母国を留守にしていた外国帰りのような会話を交わす。めったにテレビを見ないので、出てくる歌い手たちのほとんどを知らないし、聞いたことも見たこともないことばかりで、かえって異国情緒があって新鮮なのだ。

宴たけなわの頃、ご近所の蕎麦打ち名人から打ち立ての蕎麦が、奥方特製のつゆ付きで届く。こちらは本わさびと薬味だけは用意して待っている。細切りの二八蕎麦は、きっかり四十秒、タイマーで計って茹であげる。「おいしいねえ」「さすがだね」と他人さまの成果をありがたく味わいながら食べているうちに、「ゆく年くる年」が始まる。この永遠の定番?感覚が大晦日にはよい。

いよいよ年があらたまる時刻が近づくと、冷えたシャンパンを用意して、カウントダウンが始まる。5、4、3、2、1……ポンッとシャンパンの栓が飛んで、「あけましておめでとうございます」を言い交わす。

「昨年はお世話になりました。今年もどうぞよろしく」という決まり文句には、だが、万感の思いがこもっている。途中でカラダをこわしたり、年齢だってハンパじゃない男女の集まりである。今年は無事に越せました、来年もどうぞこのメンバーが揃いますように、という祈りのような願いがこもっている。

わたしはこれを「大晦日家族」と呼んできた。

その「大晦日家族」のうち、ふたりまでが、今年の暮れは日本にいない。さて、どうしたものか。

「大晦日家族募集中」とでもやろうか、それともいっそスキー場で正月を過ごそうか。外国で友人と合流してお正月を迎えようか。べつなお友だちのところへ出かけようか、友人の経営するペンションで過ごそうか。

あれこれ考えると、選択肢がいっぱいあって迷ってしまう。

家族持ちではないが、自分が「人持ち」だと感じるのは、こんなときだ。

還暦

還暦を迎えた。

お祝いに、赤い薔薇と赤い口紅と赤いパンティをもらった。そのほかにも、赤いネックレスや、赤いタオルや、赤くないショールや、猫の置物などをもらった。赤いちゃんちゃんこはもらわなくて、よかった。

たくさんのひとにお祝いをしていただいて、ほんとに幸せ者だと思った。

生まれて六十年。

還暦という。干支《えと》がめぐってひとめぐりするから、本卦還《ほんけがえ》り。生まれた年に還るから、赤ちゃん還りのシンボルに、赤いものを身につけるのだそうだ。この夏は、赤いTシャツや、赤いアクセサリーを身につけて過ごした。

六十年。よく生きたと思う。こんなに生きるはずではなかった。

自分をほめてやりたい気分だ。

人生のピークは過ぎている。もうやりなおせないことばかりだ。後悔だってないわけではない。ふりかえってみれば、これが自分の人生だった、と過去形で語る年齢になってしまった。

四十歳を過ぎたら、時間が経つのが早くなって、というひとがいる。

そんなふうに思ったことはない。四十歳過ぎてからの一年、一年も、そのつどじゅうぶんに長かった。ひとつひとつのしごとをこなし、いまをめいっぱいに過ごし、綱渡りのような日々をやり過ごすのにせいいっぱいだった。ひと波越えるたびに次の波が待ち受け、息をつくひまもなかった。一年が終わるたびに、やっと今年も暮れたと思い、一年前のことは、十年も昔のように思えた。これを充実と言うのだろうか。あとさき見るよゆうもなかった、という点では、たしかに「充実」と言ってよいのだろう。

だが。もう一度やりなおしたいか、と訊かれれば、一回でたくさん、と答えるだろう。

二〇〇八年七月二十六日に、「大凡《おおよそ》60女のパーティ」が開かれた。主催したのは、リブ世代の女たち。一九四七年、四八年、四九年生まれのベビーブーム世代の女たちに、一堂に会してお互いの還暦を祝いあおう、と呼びかけた。

もりたて人は、麻鳥澄江、平川和子、米津知子、丸本百合子さんなど、リブの担い手だった女たち。かつて魔女コンサートをやった田中美津さんや中山千夏さんもいる。リブの頃は東京にいなかったので、当時の熱気を知らないわたしも、お仲間に加えてもらった。演出は女だけの劇団「青い鳥」。少女のままの無垢を抱いて、そのまま年齢を重ねたようなふしぎな集団だ。

六十歳。よくも生きてきたと思う。それぞれに平坦とは言えない人生を歩みながら、どのひとも「そのひとらしい」軌跡を描いて。あのリブから四十年も時間が経ったのだ。

わたしは周囲の若いひとたちにこう声をかけた。

「リブ世代の女たちがまとめて集まる機会よ。もうこんなことは、これから先、二度とないかもしれない。見に来る価値はあると思うよ。」

若者たちは、おっかなびっくりやってきて、それでも受付や裏方など、その場にすっかり溶けこんで働いてくれた。自分の三倍もの年齢の女たちが、こんなに楽しげに生き生きと集まっているのを見て、刺激を受けたと思う。

リブの女たちは芸達者が多い。しちめんどうなリクツをこねるより前に、カラダが動くひとたちだ。歌って踊って、のノリのよさは、とてもまねができない。こういうとき、「歌って踊れる研究者」になれないわが身の無芸ぶりが情けない。とはいえ、「歌って踊れ」ていたら、研究者などにならずにすんでいただろう。

吉岡しげ美さんは、与謝野晶子や金子みすゞの詩をピアノで弾き語りしてくれた。伝説のロック歌手、中山ラビさんは、やぶれジーンズにパンクなかっこうで、まんま時間が凍結したようなロックを絶唱してくれた。正真正銘の芸人の中山千夏さんは、おしゃべりと自作の歌でもりあげてくれた。

そのなかで、この会を思いついて、実行した歌手の麻鳥さんの作詞作曲した歌を、在日の歌い手、李政美さんがのびのよい声で歌いあげてくれたのが、心に響いた。麻鳥さんが、李さんに、「お誕生日のプレゼントに、歌を歌ってくれる？」とおねだりして、快諾してもらったものだという。すてきな還暦祝いだった。

「満月の夜」と題した歌を一部、紹介しよう。

光あふれる　満月の夜
耳を澄ませば　海の音
名もない岸に　ひとり立つ
祈る気持ちです　今日の夜
時を刻む潮の中で

生まれたこの日が　めぐり来る
抱きしめる　辿り返す　時を越えて
　寄せては返す　波のように
めぐり来る満ち潮のさざめき
　まるごとのわたしが　満ちてくる

潮は女のリズム。麻鳥さんは、孕む女の充実をイメージして、詞を書いたという。彼女自身は母になっていないが、この気分は、母にならない女にも体感できる。歌詞のなかには、「何も怖いものはない　果てない宇宙も　この手の中に」という一節もある。

「まるごとのわたしが　満ちてくる」とリフレインする歌詞には、ひとりの充実、わたしのほかに何もいらない何も恃《たの》まない、女の豊かな自恃と充実とがあって、わたしは思わず涙ぐみそうになる。

「大凡60女のパーティ」は、麻鳥さんが、自分自身の還暦のために企画した贈り物だったが、それは参加したわたしたちにとっても、彼女からのすばらしい贈り物になった。彼女は寛大にも、この豊かな時を、ほかのひとたちと分かちあおうとしてくれたのだ。

パーティのあいだ、折りを見ては参加者のひとりひとりが、記念撮影をした。コスプレ用のかつらや衣装、小道具の類が用意してある、遊び心いっぱいの周到さ。わいわい言いながら扮装して、写真を撮ってもらう。

フィナーレはそのひとりひとりのプロフィールが、画面いっぱいにスライドショーで映しだされる、という趣向だ。この場にいるひとりひとりが主役、というメッセージが伝わってくる。

「もうこんなことは、これから先、二度とないかもしれない」と、若い人たちに言ったときには、口には出さないが、こんな思いがあった。あと十年経てば、還暦の女たちは七十歳になる。二十年経てば八十歳になる。このなかのだれがこの世を去り、だれが残っているだろうか。今日この場に会したひとたちのすべてが、十年後、二十年後にふたたび一堂に会する可能性はあるだろうか……。

わたしだけでなくほかのひとたちも、口には出さないが、同じ思いだったことだろう。

おわかれの歌は、中山千夏さん作詞の「さよなら」。

さよならのほんとのいみはね
きっとまた会いましょうってことよ

だから　さよなら　さよなら　さよなら

中国語で「再見《ツァイチエン》」、ドイツ語で「アウフヴィーダーゼーエン」は、たしかにどちらも「またお会いしましょう」という意味。日本語の「さよなら」は、「さようならば……」の含みを持たせる。

たとえ気休めでも、一時の思いこみでもいい、「さよなら」に万感の思いをこめて、「また会いましょう」と歌う。いつのまにか、会場の参加者は総立ちになって肩を組みながら歌いつづけた。歌の力、詩の力を感じた瞬間だった。

こんな還暦パーティは、これが最初で最後だろう。

読者

「おひとりさま」になったなら

五十代で夫を亡くした女性が、書店でわたしの『おひとりさまの老後』を見つけた。読んで、これは自分のために書かれたと感じたという。こんな読まれ方が、いちばんうれしい。

ひとはひとりで生まれ、ひとりで死んでいく……というが、それはほんとうではない。死んでいくときにはひとりかもしれないが、生まれるときにはひとりではない。産んでくれる母がいるし、その原因をつくった父がいるし、祖父母やきょうだいや親族たちのあいだに、ひとは生まれてくる。

死ぬときもひと昔前は、ひとりではなかったかもしれない。子や孫、縁者たちに囲まれてあの世へ旅立てただろう。だが、思いのほかに迎えた超高齢化社会では、長生きすればするほど、まわりのひとたちは自分より先に死んでいく。長生きのつらさは、喪失のつらさかもしれない。

ひとはひとりでは生まれないが、しだいにひとりになっていく。配偶者を失い、子どもが自立し、孫たちもおとなになっていく。おひとりさまになる過程には、だれでも長い喪失の物語を持っている。

それに気づいたのは、本を書くために現役おひとりさまに取材しているときのことだった。現在のおひとり暮らしを尋ねるのに、ひとりになるに至るまでの長いながい喪失の物語を聞くところから始まった。ひとは最初からひとりなのではない。ひとりになっていく、のだ。

作家の村田喜代子さんの『あなたと共に逝きましょう』（朝日新聞出版、二〇〇九年）の書評を、久田恵さんが書いていた（「朝日新聞」二〇〇九年三月二九日付）。タイトルのとおり、三十数年を共に暮らした老境の夫婦の物語だ。「親子でもない、元他人の、そしてすでに恋人でもない、夫婦という名の男との特別な関係とはなんなのか」と、バツイチおひとりさまの久田さんは問いかけて、最後にこう書く。

「夫のいない自分の人生が、お気楽ではあるけれど、なんだか単純すぎて面白みがないように思え、私はちょっと打ちのめされた気分になった。」

正直なひとだ。

とはいえ、タイトルどおり「夫と共に逝く」妻など、実際にはいないだろう。『私たちの愛』（講談社、二〇〇三年）で妻の節子さんと現代の相聞歌を交わし、「君が死んだら、すぐに後を追うよ」と帯に書いた田原総一朗さんは、愛妻が亡くなったあとも生き延びているし、『そうか、もう君はいないのか』（新潮社、二〇〇八年）の城山三郎さんも、妻の不在に耐えながら生きた。先立った妻は、遺された配偶者がその時が来るまで生き延びることを、あの世で願っていることだろう。

そう考えれば、離別も死別も新しい人生の再スタートかも。配偶者と共に過ごした歳月、そして自分ひとりで過ごす時間。その両方が味わえたら、人生は一粒で二度おいしい、ことだろう。

いつかは必ずひとりになる。早いか遅いかのちがいだけだ、とわたしはしだいに思うようになった。それならそんなに遅すぎないうちにひとりになったほうが再スタートはやりやすいかもしれない。事実、六十代で最愛の夫に先立たれたわたしの友人は、夫の死後それまで以上に活躍している。「あのひとはわたしにこの時間をくれたのね」と言いながら。

夫がいたときはいたときで楽しかった。いなければいないで、またべつの楽しみ方がある。

いったんひとりになってしまえば、どんな事情でひとりになったかは関係ない。そしておひとりさまのライフスタイルは、なってしまえばどれも似通ったものだ。それならわたしのほうに一日の長がある。だからわたしは、シングル・アゲインになったひとに言ってあげるのだ。

「おかえりなさい」と。

おひとりさま暮らしの最大のメリットは、自分ひとりで時間と空間をコントロールできること。何をするにも、だれにも許可がいらないし、遠慮もいらない。これはとくに女のひとにはとても重要なことだ。だれかが同じ時間と空間にいたら、自分をさしおいても相手の気分やつごうを優先する生活習慣が、幼い頃から身についてしまっているからだ。こういう気分は男性にはたぶんわからないだろう。妻がいても、自分がしたいことをするのに、妻の顔色を見たり、許しを得たりする生活習慣のある男性には、めったにお目にかかれない。

ひとりでいることが基本なら、ひとりは苦しくも楽しくもない。たんにあたりまえなだけである。『週刊朝日』（二〇〇九年三月二七日号）の「なぜか現代に流行する女性一人の『ひとり上手』」などという特集を見ると、世の中のひとたちは、そんなにひとりでいられないのか、とかえって驚いてしまう。コメントを求められて、「女性は相手の顔色を見てそれに合わせようとする生活習慣が身についているためストレスがたまる。それなら『ひとりのほうがいいわ』と実行するようになったのです」と指摘したら、出てくる実例がどれもそれにあてはまっていた。「ひとりカラオケ」の好きな女性は、「人と一緒だと（気を使って）なかなか好きな曲が歌えない。そのストレスを晴らすために別の日にひとりで行くんです」と答え、べつの女性は「彼氏はいますが、一緒に来ると自分のペースで楽しめない。……はっきり言って彼といるよりひとりのほうが楽しい」と言う。

ひとりでいることが基本だからこそ、他人といることに格別の歓びが生まれる。いやな他人と一緒にいる理由はない。ひとりの時間はもしかしたら人生の贈り物かもしれない。

おひとりさまつながり

老後は金持ちより人持ち、というすてきなことばを教えてくれたのは、大先輩の吉武輝子さん。調べてみたら、「人持ち」には、さらに発信源があった。金森トシエさんの『金持ちよりも人持ち・友持ち』（ドメス出版、二〇〇三年）だ。

そういえば「家族持ち」ということばもあったっけ。

わたしはあまのじゃくだから、家族持ちから家族を引き算すれば、とすぐに考える。家族にべったり依存してきたひとは、家族を失うとかえって孤独になることが多い。妻を喪った晩年を、ひきこもり状態で過ごしたわたしの父がその例だ。

だから家族持ちと人持ちとは、ちがう。家族を引き算しても、人持ちには家族以外のひとが残る。友人という名のひとたちが。

「草食男子」の命名者、深澤真紀さんが『自分をすり減らさないための人間関係メンテナンス術』(光文社、二〇〇九年)を書いた。ご本人に直接会ったら、これはわたしの『おひとりさまの老後』への、彼女なりの応答だという。

深澤さんは、「友人というのは『人間関係の上級編』」という。ウエノさんは人持ちになりなさいと言うけれど、だれにでもできることじゃないのよ、と言いたかったのだという。そのとおり。夫婦や恋人とちがって、友人関係には役割も定型もない。親しき仲にも礼儀は必要だし、どこまで踏みこめばよいかにも節度がいる。相手に対する敬意や配慮もいる。それに相手との関係によって、この間合いは一様ではない。そう思えば、ずかずか相手のうちぶところに立ち入るような家族同士の関係は、はためからはよほど野蛮に見える。ほんとは家族同士の関係にだって、礼儀や節度は必要なことだろう。

友人関係に「メンテナンス」という用語を使ったせいで、ひんしゅくを買った。「友だちって、何年も会わなくても、会ったとたんに昨日別れたみたいに話せるものでしょ」と。

わたしはそうは思わない。何年も会わなかったのは、会わずにすんだということ。あなたの人生のなかに、そのひとの居場所がなかっただけ。必要としないし、されない関係だったということだろう。大事にしたい関係なら、相応のメンテナンスは必要だ。

「ほんとうの友人っていうと、そうですねえ、学生時代の友だちかしら。おとなになると友だちはできませんねえ」というひとにも会う。そういうひとに限って、「学生時代の友人たちとはそれぞれ人生がちがってきて……。たまに会っても、話が合わなくなってきたんですよ」などとこぼす。

話が合わないひとを、友だちとは呼ばない。かつて友だちだったひととも、いつまでも友だちでいられるわけではない。それぞれの人生経験の道筋で、ひとも関係も変わる。

人間は変化する生きものだ。その折々にちがう出会いがあり、異なるニーズがある。切磋琢磨しあえる刺激的な友人がよかった時期もあるし、まったりくつろげる友人がほしいこともある。だからわたしは、何歳からでも、いつでも、どこにいても、友人はつくれる、と思っている。「必要は発明の母」だから。

それに友人のいいところは、ひとりでたくさん、ということにはならないことだ。なぜだか、恋人だの夫だのは、ひとりっきりでなければならない約束になっているらしいが、友人はいくらいても困らない。ひとり友人が増えたからといって、ほかの友人に対する友情が減るわけでもない。それどころか、とっても大好きな友だちが、もうひとりの大好きな友だちと、お互いに仲良しになってくれると、こんなにうれしいことはない。その仲立ちをしたのがわたしなら、なおうれしい。

「この前ね、ゆうこさんと一緒に旅行したのよ」とひとりの友人が言えば、「あら、くやしい、わたしも誘ってくれればよかったのに」といちおうすねては見せるが、「じゃ、今度は三人で温泉に行こうね」という話になる。これが男女の三角関係では、こうはいかない。

おひとりさまの友人たちは、家族持ちでないぶん、友人の大切さをよく知っている。だから努力して意図的に友だちをつくろうとするし、友だちを大事にする。家族持ちでも、子どもが去り、夫が先立てば、自分のまわりに最後まで残ってくれるのは友人たちではないだろうか。

おひとりさまの過ごし方

思いがけず『おひとりさまマガジン』(文藝春秋、二〇〇八年)という雑誌の編集長をつとめることになって、現役おひとりさまを対象に、「おひとりさま大アンケート」を実施した。「ひとりのとき、何をしていますか?」と尋ねたら、こんな答えが返ってきた。

「ひとり暮らしが基本なので、ふつうに暮らしています。ひとりだからといって特別なことはしていません。こんな愚問には答えられません。」

なるほど、と反省した。

とは言っても、周囲のおひとりさまに聞き取りをすると、いくつかのことがわかった。おひとりさまになってから、最初に変わる生活習慣は、トイレに鍵をかけなくなること。次に、トイレのドアを閉めなくなること。風呂あがりにすっぱだかで部屋のなかをうろつきまわる快感をあげるひともいた。

それに夜、外から疲れて帰ってきたときに、だれもいない家の解放感と言ったら!

八〇年代の後半に、タレントの山口美江が柴漬けのCMに出演、深夜のコンビニで「柴漬け、食べたい」と探しまわってから、よろめくように暗い自宅へ帰るシーンが話題を呼んだ。その頃は、帰る家にだれもいなくて明かりが灯っていないことは、みじめさの代名詞だったのだけれど、あれからおよそ二十年、おひとりさま事情も様変わりした。

だれもいない家に帰るのは、結婚している働く女性も同じ。それどころか、家族のだれよりも早く帰って自分で明かりを灯し、着替えもそこそこに家族の食事の支度をしなければならない。その負担に比べれば、ひとりの家に帰って、柴漬けをサカナにビールでもあおるおひとりさまのほうがずっとストレスが少ないというもの。

「おひとりさまマガジン」では、日本最強負け犬トリオと称して、酒井順子さん、香山リカさん、それにわたしの鼎談を掲載したのだけれど、三人の意見が一致したことがあった。

「家に帰って明かりがついていないとほっとしますね。」

それはそうだ。おひとりさまが家に帰って明かりがついていたら、ふつうはドキッとするだろう。

だれかと一緒にいるほうがうれしいこともあるし、いないほうがましなこともある。日本の夫婦のデータを見てみると、夫をストレスと感じる妻が多いことがわかっている。夫が出ていったあと、自分のほかだれもいない家に、のびのびと解放感を感じる女性もいるだろうし、夫は夫で、週末の家族のもとから単身赴任先のアパートに戻って、ほっとくつろぐ思いをする男性もいるだろう。

ひとり暮らしか、ふたり暮らしか、大人数の暮らしがよいかは、生活習慣。昔風の大家族で育ったひとは、ひとり暮らしがつらいかもしれない。だが、子ども部屋から個室を与えられて育った世代は、新婚さんでも夫婦別寝室でないと眠れない、というひともいる。夫婦の距離も、ダブルベッドか、同室でツインか、別室か、それも襖一枚隔てたぐらいがちょうどいいか、壁とドアがないと困るか、はひとそれぞれ。友人の新婚カップルはメゾネット式のマンションに入居して妻が階上、夫が階下に別れて住み、お互いに電話でやりとりしていた。これじゃ恋人時代と変わらない、と夫はこぼしていたけれど、ひとりっ子で育った妻のほうには、それが適度な距離だったようだ。

ご批判を受けてアンケートを急遽つくりなおし、「ひとりでよかったこと、ひとりで困ったこと」という質問に変えた。どのひとの回答も、「困ったこと」より「よかったこと」のほうが圧倒的に多いのが印象的だったが、「困ったこと」のなかにあったのは、泥棒や空き巣、それに病気の不安。そりゃ、心配だろう。

若い頃は気丈だったが、一度空き巣に入られてからは不安が消えず、ケア付きマンションに入居して、同じ屋根の下に他人の気配を感じていられるいまが、安心感があってよい、というひともいた。

「他人の気配」を感じる距離もいろいろ。同じ部屋で相手の姿が見えているほうがいいというひともいれば、同じ屋根の下の別室が、いや階上と階下で物音がかすかに聞こえるくらいが、同じ建物でもフロアがちがいプライバシーの保てる別室が、いっそ独立した別棟が……と好みはいろいろ。

空間さえじゅうぶんなら、何も狭いところに折り重なって集団で暮らさなくてもよさそうだ。那須高原の三千坪の土地に、高齢者向けのケア付き住宅を「百年コミュニティ」として計画しているデベロッパーがいる。設計コンペに関わったが、こんなに自然の豊かな広大な土地で、都市部と同じような高層の集合住宅を建てることもあるまいに、と思っていたら、敷地のなかに離れ家《や》のように住戸が独立して散在したプランが採用された。電話一本で走って行けたら、なにも同じ屋根の下に暮らさなくてもよさそうだ。

このところ、わたしの老後プランは、在宅おひとりさまに、傾いている。

おひとりさまの将来

これからおひとりさまは、どんどん数が増える。高齢者だけでなく、若年にも、中高年の男女にも、おひとりさまは増えている。夫婦がそろっている割合を年齢別で見ると、六十代後半から七十代前半が最高に達する。この年齢から上には、死別のおひとりさまが増えるが、ふしぎなことにこの年齢から下にも、おひとりさま率が高い。離別シングル・アゲインと非婚シングルとが五十代以下には増えるからである。人口学者の試算によると現在四十代のひとびとのうち、男性の四人にひとりが、そして女性の五人にひとりが生涯非婚になる可能性が高い、という。

日本における累積婚姻率（生涯に一度でも結婚したことのあるひとの割合）は六〇年代なかば

にピークに達して、その後減少に転じた。六十代後半から七十代前半のひとたちは、この時期に結婚した世代。結婚を一生ものと考えて家庭を築き、ふたりそろって老いを迎えつつある幸運なひとたちだ。だが、この世代はもう日本の歴史のなかで最初で最後。この先はつづかない。

この時代は就職も定年までの一生もの、結婚も「永久就職」だった。雇用の安定性が崩れ、結婚の安定性も崩れたいま、若いひとを見たらあいさつ代わりに「結婚は？」と訊くのは、世間の「常識」が六〇年代なかばでフリーズドライされている、と思ったほうがよい。昔の「常識」は、いまの「非常識」。半世紀と言えば、社会が変化するにじゅうぶんな時間の長さだ。

男と女がつがいになって一人前、という社会ではおひとりさまははみだしものになる。男にも女にもおひとりさまが増えた今日、おひとりさまどうしがおふたりさまになることが「上がり」なんだろうか。不幸にしておひとりさまになったなら、あらたなパートナーを探して再びおふたりさまになることを、本人も周囲も望むのだろうか？

「婚活」だの、「結婚詐欺」だの、浮き足だった報道を聞けば、そうか、世間はおひとりさまを、出会いを求めて心ならずも待機中の存在と見ているのか、と感じる。結婚詐欺殺人事件だのという物騒な報道では、男おひとりさまのほうが、恋愛にも結婚にも免疫がないと見える。

わたしの世代の友人たちのなかには、シングル・アゲインのおひとりさまが多いが、彼女たちは男友だちを求めていても、再婚は求めていない。「結婚は一度でこりごり」というのが、離別シングル・アゲインのおおかたの感慨だ。死別シングル・アゲインも「ひとりになってのびのび」と思っており、再婚願望はない。なにより亭主の残してくれた住まいと遺族年金がある。日本の法律は、男が女を養うものと思っているらしく、再婚すれば遺族年金を失う。だれにも遠慮せずに使える、ようやく自分が手にしたおカネを、みすみす手放す必要はない。それに「老いらくの恋」を結婚につなげる道に立ちはだかる抵抗勢力は、子どもたちだ。後添えをもらって、遺産相続や墓の問題でもめたくない。だから結婚につながらないかぎり、子世代のほうも親の異性関係を許容する傾向がある。

おひとりさまになった友人で、じょうずに暮らしているなあと感心する例は、男友だちが近くに住んでいて、ときどきごはんを一緒にしたり、週末を過ごしたり、旅行に同行したりするケースだ。自分の住まいとカネは確保したうえで、お互いに領分を侵さない。相手の家族にも深入りしない。離婚したわたしの友人は、子どもたちに新しいパートナーを「おじさん」と呼ばせていた。もし「お父さん」と呼ぶことを強要したら、トラブルが起きていたことだろう。

こういう週末まったりデートの習慣は、きょうびの若者のつきあいにとても似ている。彼らも結婚を前提とせずに異性のあいだの交友関係をつづけている。「おつきあい」のなかには、性関係も含まれるが、もはや「婚前交渉」という言葉は死語になった。セックスがあたりまえになって、かえってセックスにがつがつすることのなくなった若者たちのカップルは、「お茶のみ友だち」に似ている。高齢者カップルと若者カップルには、意外と共通点がある。それに加えて同性・異性を含めた仲間づきあいもある。男女共学の世代は、友情も性別に関係なく自然だ。

結婚は社会契約。「つがい」は繁殖期の行動。夫婦は子育ての戦友だ。だが、子どもを産み育てるという一大事業が終わったあとは、いったん契約を解除してもっとゆるやかな関係を結びなおしてもいいのではないだろうか。もちろんあらためて同じ相手と再契約してもよいが。

超高齢化社会には、家族の義務から解放された男女のおひとりさまが、あらためて男女共学の仲間づきあいをできるようになればよいのに、というのがわたしの「おひとりさまの未来」だ。人生八十年時代、つがいでいる期間はその約四分の一。人生百年ならその五分の一だ。「おふたりさま」がゴールであるような考え方を、そろそろ捨ててもいいんじゃないかと思う。

4　ひとりのいま

佇まい

そのひととは初対面だったが、これまでにそのひとがどんなに秀《す》ぐれた仕事をなし遂げていたかを、わたしは知っていた。すでに高齢になったそのひとと、とおりいっぺんのあいさつや世間話をしながら、わたしはあせっていた。このひとからあのときのことや、このときのことを、訊きださなくては。あの本を書いたとき、あなたは何歳で、何を考えて、何をしていたのか……、あの事件が起きたとき、あなたは何を感じたのか……。

歴史の生き証人を前にして、わたしの気持ちははやっていたのに、話はいっこうに核心に入っていかない。とりとめもなく時が過ぎて、やがて辞去する時刻が来た。う、うむ。なんというもったいない時間を……と思ったわたしの目の前に、おだやかな笑みをたたえて、ものごしのやわらかいそのひとは佇んでいた。

そのとき、わたしは悟ったのだ。

このひとが過去に何をしてきたかは、問題ではない。あまたの事件や出来事をのりこえて、いま・ここに、品のよい老婦人がいる。そのひとのねばりのあるゆっくりした話し方、目尻の笑いじわ、少し悲哀を含んだ笑顔、おだやかだが時に辛辣なものいい……過去の生き方や姿勢が、そのままそのひとのふるまいに滲んでいると思うと、そのひとと過ごした数時間を、気持ちばかりはやって、ありのままに堪能しなかったことが、かえって口惜しく、もったいないことに思われてきた。

時間と経験が、このひとの「いま」を創ってきた。だとしたら、わたしがつきあうべきは、このひとの「過去」とではなく、このひとの「現在」とでなければならない……。

過去に有名だったべつのあるひとと、初めて遭ったときもそうだった。とあるパーティ会場で、大きな柱の陰に、小柄な女性が肩の力を抜いて佇んでいた。一時はスキャンダルでメディアを賑わせたこともあるそのひとの容貌を、わたしは写真で知っていた。だが、わたしから数メートルと離れていないところに立っているそのひとは、気配を消した静謐さで、周囲の喧噪をよそに、超然としていた。あのエネルギッシュな人生を送ったひとが、こんなふうに変わったのか……わたしは彼女の経てきた人生の波乱のあれこれを思い起こして、その脂《あぶら》の脱けたさりげない佇まいに、好感を持った。そのひとの経てきた容易でない時間がいまのこのひとを創ってきたのかと、目の前のそのひとのおだやかな風貌に、あらためて見入った。

そう思っていたら、エイジズム（高齢者差別）を告発するフェミニスト、バーバラ・マクドナルドのせりふが思いだされた。彼女は七十代のときに、こう言ったのだ。

年老いた女性に、あなたはほかの年寄りと違って元気だし生き生きしていると言うことが、褒めことばだと思ってはいけません。もしその女性がそれを褒めことばとして受けとったとしたら、あなたは年老いた女性を拒否することに手を貸したことになります。年老いた女性にお年よりもずっとお若いですねと言ってはいけません。それはあなた方の思い上がりであるばかりか、年齢を感じさせることをけなすことにつながります。年老いた女性はあなた方若い女性のために存在しているわけではありません。またあなた方が私たちの役に立つと思ってもいけません。

年老いた女性が昔から歳をとっていたと思ってはいけません。七十歳、八十歳、九十歳がどんなものか、新しく発見する過程にあるのです。年老いた女性がこの経験について語れば語るほど、私たちを否定する社会に住む私たちは、それがどんなに革命的なことか、わかってきます。

この銀髪の小柄な女性は、アメリカのフェミニストの集まりで、こんな激烈なスピーチをした。そのなかに三十代のわたしもいた。わたしはそれに感激して、初対面の彼女に近づき、あなたのスピーチを日本に紹介させてもらえないかと申し出た。それがあとで翻訳書になったのが、『私の目を見て――レズビアンが語るエイジズム』(シンシア・リッチとの共著、寺澤恵美子ほか共訳、原柳舎、一九九四年)である。

彼女はこんなことも書いている。

若い女たちは、あなたがどんなふうに生きてきたかを聞かせてくださいと、年老いた女のもとへライフヒストリーのインタビューにやってくる。だれもわたしが日々何を感じ、何をして生きているかを訊こうとしない。そう、彼女たちは、わたしの「現在」にではなく、わたしの「過去」にしか関心を払わない。わたしは「過去の人」ではなく、こうして日々を生きている、ただ高齢なだけの女だというのに。高齢者は過去の抜け殻ではない。それどころか、だれも経験したことのない、年齢という日々にあたらしい現実を探検している最中だというのに。

わたしがおつきあいしていただいている高齢者のコミュニティでは、自己紹介のときに、過去の職業や経歴を言わないし、聞かないという不文律がある。どのひともすでに現役を退《しりぞ》いているひとたちだ。「娑婆《しゃば》ではどんなご身分かは存じませんが……」、ここでは無名の者どうし、お互いさまだ。

その代わり、自己紹介代わりに、いまうちこんでいる趣味を言う。「油絵を描いていま す」「しろうとオペラのサークルに入って、年に一回の公演が楽しみで……」「陶芸をやりたくてこの地に来ました」。

だが、つきあっているうちに、そのひとの趣味や特技がなんであるかすら、どうでもよくなってくる。

「ウエノさんね、それって、大文字の趣味っていうんですよ。ほんとに大事なことはそのひとが何をしているかではないんです」とわたしに教えてくれた年長の友人がいる。そのことばが、身に沁みるようになってきた。

何をするか、ではなく、だれであるか。それも肩書きや地位では測れない、そのひとのありよう、ふるまい、口のきき方や身のこなし方……つまるところ、そのひとの佇まいが、そのひとについてのいちばん大切な情報だと思うようになった。そして一緒にいたいと思わせるのはそういう佇まいの上等なひとだし、また会って時間を共にしたいと思うのも、そういう気持ちのよいひとたちだ。

他人を見るとき……わたしたちは、そのひとが過去に何をしてきたかを基準に、あの◯◯さん、と思いがちだ。わたしたち自身もしばしば、あのウエノさん、という目で見られることが多い。だが、ひとがつきあうのは、そのひとの過去とではなく現在と、そしてそのひとの仕事とではなくそのひとの人柄とである。どんなにすぐれた業績をあげたひとだろうが、一緒にいて無神経なひとと、食卓を共にしたくない。かつての地位も業績も、いま・ここでの無礼さや傲慢さを免罪しない。

そのひとの佇まいから、そのひとが過去にくぐりぬけてきた修羅場や苦悩の数々を推しはかる。詳しくは聞かなくとも、あれやこれやがあって、そのひとの「いま」があるのだと、感じられる。そしてふと、そのさなかにめぐり遭わないでよかった、と感慨がよぎる。経験と時間とでなめされ、よく使いこまれた手帖の革表紙のように鈍い光沢を帯びて、そのひとが目の前にいる。わたしはただ、それをじゅうぶんに享受しさえすればよい。

なんという贅沢だろう。

儀式

この一年は、知友のだれかれの訃報があいついだ。

しばらく前までは、友人の親や義父母の喪中はがきだった。最近になって、直接親交のあったひとたちの訃報が届く。間接的にしか知らないひとの死はともかく、直接親しく接触のあったひとの死には、喪失感がある。そうか、あのひとは二度とふたたびわたしの前にあらわれないのか。あのひととの記憶はすべて過去に属して、二度と更新されることはないのか……という気持ちが胸を嚙む。

昔から冠婚葬祭の儀式がキライだった。めでたいとも思わないのに、結婚式に出かけ、成長の過程をよく知りもしない親族の子どもの入学や進学にご祝儀を包む。あるときから結婚式に出るのをすっぱりやめた。徒労感におそわれない結婚式を経験したことがないからだ。自分の結婚式にさえ出席したことがないのに、ましてや他人の式などに……という気分もあった。

わたしが結婚式を好きではないことを知っている学生や卒業生は、自分が結婚するときには結婚式にわたしを招待しない。結婚の報告にさえ、おそるおそるやってくる。わたしが不快な顔をするのではないかとおそれているからだ。

わたし自身は結婚する気はないし、結婚式にも興味はない。だが、他人の結婚を祝ってあげたい気持ちくらいはある。結婚しようと思う相手とは、これからの人生を共にしようといったんは決意した相手のこと。いまどきはその約束もいつでもキャンセルできるとはいえ、それほどの決意をするにはよほどアタマに血がのぼらなくてはかなわず、それほどの決断をする相手と人生でめぐり遭う機会は、五指にも満たないだろう。そのくらい深くコミットのできる相手と出会った幸運を祝ってあげるにやぶさかではないよ、といささかまわりくどい言い方で、わたしは結婚を報告に来た学生を祝福してあげる。ただし式に出るのだけはかんべんしてほしい。

あるときから冠婚葬祭のうち、冠婚祭に出席するのをやめた。とりわけやめたのは他人の出版記念パーティーだ。自分の本の出版記念パーティーをやったことは一度もない。こんなに本を出して、そのたびにやっていたら、身が持たないし、まわりからいやがられることうけあいだ。

ほんとは学生の卒業式にも出たくない。自分の卒業式にも出なかったのに、という気持ちがどこかにあるからだ。大学は卒業した。卒業式に受けとるはずだった卒業証書を、身分証明書と引き替えに大学の事務の窓口に受けとりに行ったとき、卒業証書を目の前でやにわに四つ折りにしたわたしを、窓口の職員が目をまるくして見ていたのを思いだす。この紙切れに値打ちがあるのは、わたし自身よりも親のほうだろうと思い、親に送ろうと思ったのだが、大きすぎて封筒に入らない。それならと、ばりばりと四つ折りにしてしまったのだ。だからわたしの卒業証書にはいまでも折りじわがついている。


だけど、葬だけはべつ。そう自分に言い聞かせてきた。

別れの儀式。お別れを言う相手は、もうこの世にいない。

名士の葬儀では、ご本人の葬式よりも、その親や、妻が先立ったりしたときの葬式のほうが盛大なことがある。配偶者を知らなくても、残された夫のほうに義理があるからだ。かえってご本人が亡くなられたときには、周囲はもう浮き世の義理はすんだとばかり、参列者の少ない質素な葬儀だったりする。

わたしが葬儀に出るのは、浮き世の義理のためではない。遺族に知る顔はなく、そのひとたちに義理はない。わたし自身のためである。

あるとき、あるひとの記憶が中断する。手帳のアドレスを見て、ああ、このひとはもういないのねと思いながら、消すのがためらわれる。携帯の電話番号を見て、かけてみようかしら、とふと思うこともある。死者への電話はつながるだろうか。それとも誰か見知らぬひとが出るだろうか。迷うたびに、消さないでおく。亡くなった、と連絡を受けると、相手への気持ちが行き場を失ったまま、わたしのなかで滞る。これもきちんとお別れをしていないからなのね、と思ってしまう。別れの儀式って、生きている者が、死者をほんとうにあちら側へ送りだすために必要としたものだと、あらためて感じ入る。


このところ、亡くなったという知らせを受けて、ご葬儀は？　と尋ねると、近親者で密葬をすませました、と聞くことが増えた。ひとつの見識だとは思うが、あれれ、とやり場のない気分が残る。「偲ぶ会があるようなら知らせてね」とお願いするが、たいがいは気の抜けた頃に案内がくる。

それに参列者のつごうを考えてか、亡くなった日にかかわらず週末に葬儀をとりおこなうケースも増えてきた。ドライアイスとか保存剤とかが発達したために、遺体を損傷せずに保存できるようになったからだろう。そのあいだ遺体と一緒に過ごす遺族の気持ちはどんなものだろう。

わたしの日程は週末が埋まることが多い。とつぜんのご案内を受けて、週末につごうがつけられることはまれだ。その日は遠くからひとりでご冥福を祈る、というひとり弔いを心のなかでやっても、なんだかけじめがつかない。

ある週末、大好きだった年長の女性の葬儀があった。なんという偶然か、その日のわたしの予定は埋まっていなかった。わたしに合わせて亡くなる時を選んでくださったわけではないが、天啓だと思い、葬儀に出ることにした。

よく知らない宗派のお坊さんの、なげやりな読経。見たこともない親族の方々の目を腫らした泣き顔。よく知らない参列者の面々。ほんとうはいたくない場所だ。

風の強い日だった。参列者の髪も黒い喪服も烈風にひるがえるなか、遺体は火葬場への霊柩車へと運びこまれた。その前に、「参列者のみなさま、お別れをなさってください」と式場の係員のアナウンスがある。棺の蓋を覆う前に、故人の死に顔を見てお別れするという儀式である。

これだけはやりたくない。最近ではエンバーミングという技術が進んで、死者を生きているように見せることもできるのだという。映画『おくりびと』のヒットで多くのひとに知られたように、死化粧もしてもらえる。だが寝顔以上に他人にさらすことのない、ひとがもっとも無防備な顔を、見たくないし、見せたくない。故人にしても、たぶん見られたくないだろう。わたしが覚えているのは、そのひとのあのあたたかい笑顔。わたしがそれを覚えていればそれでじゅうぶん。その笑顔の記憶を、死に顔で上書きしたくない。だから、この「お別れ」だけはパスさせてもらう。

遺体と死に顔はまぎれもない死の物質的な証拠だから、これでほんとにお別れなのだ、と自分に納得させるためには意義もあるのだろう。だが、わたしには儀式だけでじゅうぶん。葬儀に参列できなければ、数週間経ってご遺族が落ち着かれた頃に、葬儀のお花も絶えた時期を見はからって、御霊前にお花を送る。ご遺族となんの関わりもなくて、それすらできないときには、自分でお花を買ってきて、ほんものの「ひとり葬儀」をする。自分で決めた自分だけの儀式だ。そうでもしないと、ほんとにそのひとを見送った気分がしない。

儀式には儀式の効用があるのだろう。そう思うようになったのも、年齢のせいだろうか。

ボケ

認知症というより、「ボケ」というほうが親しみがある。

関西弁だと、「このボケ」と言えば、関東の「バカヤロー」よりはよほど愛嬌があるし、「色惚け」、「欲惚け」という言い方もある。なにより、有吉佐和子さんの『恍惚の人』（新潮社、一九七二年）という小説のタイトルは、「呆け」が「惚け」ともかけられるからこそ。ボケとツッコミのかけあいは、漫才になくてはならないものだし、トボケるのは、対人関係のかなりの高等テクだろう。認知症はいかにも病名だが、ボケはキャラクターの一種。人間的な響きがある。

わたしはなんだか、うんと長生きしそうな気がする。そしてかなりの確率で、ボケそうな気がする。

一病息災ということばがあるが、もともとそれほど丈夫でないわたしは、無理をするとすぐに喉が腫れたり、水っ洟が出たり、風邪気味になる。そうなるとカラダに自動的にブレーキがかかる。あったかくして布団をかぶってゆっくり眠れば、体力は回復するのだが、逆に言うと無理がきかない。わたしの年齢になっても徹夜ができる、というひとに会うと、スーパーマンだと思ってしまう。

深夜、あと一時間起きていられたらこの仕事に区切りがつくのに、と思っても、目が開けていられなくてダウンする。脳梗塞だの、突然死だのというのは、きっとぎりぎりまでがんばることのできる、体力のあるひとの死に方だろうな。わたしには、無理だ。

カラダのあちこちに小さな故障をいくつもかかえながら、それをだましだまし、ぐずぐずと長生きしてしまう……これが、わたしの老後のイメージだ。いまの世の中、なかなか死なせてはもらえない。それというのも栄養水準、衛生水準、医療水準、介護水準が高いからこそなのだが、寝たきりでも長生きできるのは文明の証。それを呪わなければならない理由はない。

うんと長生きすれば、ボケになる確率も増える。

なぜだか、ボケのひとには元教師が多いと聞いた。根拠があるかどうかわからないが、口が達者なひとがボケるとやはり口が達者なボケ老人になって、存在感があるからだろうか。きっと目立つのだろう。

学生を連れて、地方都市の介護事業所の調査に入ったときのこと。デイサービス施設の利用者インタビューから帰ってきた学生が、こんな報告をしてくれた。

「なにやら試験を受けて合格してな、こんなところに仕事に来てますのや。」

要介護度認定を受けたことを、試験に合格したとそのお年寄りは思っているらしい。デイサービスに通っていることを、「仕事に来ている」と考えるそのお年寄りの思いこみを、職員や家族は大事にして、否定しないでいる。

「仕事というてもたいした仕事じゃのうて、ほかのひとの話を聞いてあげるのが仕事でな。お給料というても、もろうてはおらんが、ただでお昼ごはんを食べさせてもらえるのがお給料みたいなものでな。」

と、この方の言い分には筋が通っている。もちろん昼食の代金はご家族が払っておられるが、ご本人はそれをご存じない。自分の仕事に対する報酬だと感じておられるのだろう。

「わたしがこうやってあんたがた、若いひとに話をしてあげようと思うたのはな、年寄りになっても、こーんなに明るく前向きに生きていられるということを、あんたがたに教えてあげようと思うたからや。」

わたしたちは、事前に事業者に、利用者の面接をしたいので、協力していただける方を紹介してもらいたいとお願いしていた。その方はその要望にご自分から応じてくださった方だった。話はあくまでつじつまが合っていて、しかも前向きだ。

このひとは、元教師である。

「センセの将来を見ているみたい！」と、調査から帰ってきた学生は、笑いをこらえきれない。

いろんな施設をおたずねすると、いろんなお年寄りにお会いする。認知症のお年寄りにもお会いする。動きも緩慢で、生気を失い、ただぼんやりと日がな一日、すわっているだけのお年寄りもいる。認知症高齢者ばかりのグループホームに行くと、じぃーと動きがなく、目もうつろで、ただ死を待っているだけのように見えるお年寄りもいる。

「こんなになっても、生きていなければならないものですか」と尋ねた訪問者に、あるケアの専門家が、こう答えたせりふがある。

「ごらんなさい、食事どきになると、あのお年寄りはちゃんと口から食べているでしょう。食欲があるということは、生きる力があるということです。死はだれにでも必ず来ます。その日が来るまで、しっかり生きていてもらうのが、わたしたちのしごとです。」

いろんな施設を見て歩いて感じるのは、こんなになっても生きていてもいいな、生かしてもらってもいいな、という安心感である。ただし、わたしが信頼できるケアを提供しているると思えるひとたちのあいだで。

ボケたからといって、感情までなくなるわけではない。認知障害は、認知の障害であって、感情の障害でないことは、すでに知られている。喜怒哀楽はあるし、食欲も性欲もある。おいしいものを食べたらおいしく感じるし、まずいものはまずいだろう。たとえ自分のもとをおとずれるのが、息子や娘だとわからなくなっても、近づいてくるのが、自分にとって親しいひとか、自分をだいじにしてくれるひとかどうかは、わかる。気持ちのよい時間を過ごせばうれしいし、そうでなければ気分が悪くなる。そういうひとたちが、おだやかな顔つきで一日一日をゆったり過ごしていられる場があればよい、と思う。そしてわたし自身がそうなったときに、そんな場にいられたらよいな、と思う。この国のケアの現場には、それが不可能ではないという希望を感じさせる場が、数は多くなくても、たしかにある。

『当事者主権』（中西正司と共著、岩波新書、二〇〇三年）という本を書いたとき、いくら「自分のことは自分で決める」とはいっても、それはアタマも気もたしかなうちの話でしょう、もし認知症になったらどうするの？　とくりかえし尋ねられた。

ええ、わたしはかなりの確率でボケそうな気がします、そのときには、こうしてもらいたいと思います、と答えるアイディアがある。

成年後見という制度があるが、わたしのアイディアは成年後見ではない。後見人に、家族を指名するのはもっとも愚策。というのも家族は利害の当事者だからである。「おひとりさま」のわたしには、幸か不幸か、この選択肢はない。それならだれか信頼できる友人を、成年後見に指名するというやり方がある。だが、だれであれ、たったひとりのひとを後見人に指名するのは危険が大きい。利害が発生すると、ひとはしばしば変身するものだからだ。

それなら、いっそ医療現場のチームケアみたいに、各分野の専門家にチームを組んでもらって、ケア・マネジメントならぬライフ・マネジメントをやってもらってはどうだろうか。そのチームには、ケア・マネージャーだけでなく、医師、理学療法士、弁護士、税理士、カウンセラー、友人などに入ってもらう。ケア・カンファランス（事例検討会議）には、もちろんクライアントのわたし自身が——ボケていてもいなくても——出席する。「おばあちゃん」などとは呼ばせない。「ウエノさん、こういうメニューでどうでしょうね」と訊かれたら、よくわからなくても鷹揚にうなずく。だってどのひとも、わたしのためによかれと熱心に考えてくれているのがわかる、からだ。

このチームケアのキモは、情報の共有と相互監視。専門家同士で、お互い、見張っていてもらうのだ。性悪説というわけではないが、ひとりの善意に頼るより、ずっとましだと思う。

こういうシステム、できたらいいなあ、と思う。わたしがほんとにボケる前に。

夢

仏文学者の桑原武夫さんが文化勲章を受章されたときだったか、お祝いの席で、若い新聞記者が桑原さんにインタビューをした。一九八七年、桑原さんは八十三歳になっておられた。

「先生、おめでとうございます。で、これからの抱負は？」

桑原さんがやんわりたしなめる口調でこう返したことが、忘れられない。

「キミねえ、ぼくは年寄りやで。八十過ぎた年寄りにそんなこと聞かんでくれ。」

玉村豊男さんの『今日よりよい明日はない』（集英社新書、二〇〇九年）のなかで、わが意を得たり、の文章に出会った。

信州に自分のワイナリーを持ち、自社ブランドのワインを開発した玉村さんが、インタビュアーに「夢を実現したんですね」と訊かれるたびに答えに窮するという。

その玉村さんが紹介していたエピソードがある。二〇〇八年度のノーベル化学賞を受賞した下村脩博士（当時八十歳）が、受賞後のインタビューを受けたときのこと。記者の第一声が、「夢を聞かせていただけますか」だった。下村博士は一瞬たじろいで、「夢は……いまから夢は……ないですよね」と答え、「もう、八十過ぎですよね、ぼくは」と続けたそうだ。

この話を読んで、ただちに冒頭の桑原さんのエピソードを思いだした。

玉村さんはこう解説する。

「だいたい、ひとつの夢がかなったら、すぐに次の夢をもつ……だなんて、どうしてそんなふうに、次から次へと進んでいかなければいけないのですか。絶えず次の夢や次の目標を求めるのは、なにもかもが右肩上がりだった、高度成長期の悪い癖ではないですか。」

「自分は夢を見ない」という玉村さんは、「夢、というのは、実現するかどうかわからないから夢なのです」と言う。ご自身は還暦を過ぎて三年。人生の半ば以上を過ぎた。

そして「十分に人生の経験がある大人は、自分がやるべきことも、自分にできることもよくわかっています。だから、夢をもたなくても充実した毎日を楽しむことができるのです」と述べる。

玉村さん同様、わたしも、昔から夢を見たことがない。

「夢はなんですか？」と訊かれると、答えに窮する。

「夢を見つづけていれば、いつかは叶う」と確信をもって言うひとを見ると、まぶしくて目を開けていられない気分になる。

自分には「夢を見る能力」がないのかしら、とも思う。

わたしは、すれっからしのリアリストだ。

こういうキャラクターは社会学に向いているとも言えるし、逆に社会学などを選んだせいで、職業がキャラをつくったとも言える。ミもフタもない現実を、目をそらさずに直視するのが社会学者のしごとだからだ。

昔から、どちらかと言えばペシミストだった。世の中はこんなものか、と醒めるのが早いし、他人に多くを期待しない。なにか出来事が起きると、またたくうちにアタマのなかでシミュレーションが起きて、最悪の事態を想定する。そうなるとよくしたもので、たいがいの事態は、自分が想定した最悪の状態よりはましに思えるので、クリアするのが容易になる。

アタマがプラクティカル（実践的）にはたらくので、できることとできないこととの腑分けを一瞬のうちにおこなう。そして願ってもできないことについては、あきらめが早い。

だからあんまり失望しないし、執着も強くない。

危機に陥ったことは何度もあるが、つぎつぎと次善の策、三善の策が思い浮かぶ。どれをとっても最悪の事態よりはましだから、なんとか切り抜ける。百点満点を求めなければ、そこそこで満足できる。自分が完璧主義者でなくてほんとによかったと、胸をなでおろす。自分に対してもそうだが、他人に対しても比較的寛容だ。

うつ病のひとたちを見ていて、このひとたちは、自分に対する期待水準の高いひとたちなんだろうな、と思うことがある。理想的な自己と現実の自己とのあいだにギャップが大きければ大きいほど、苦しむことになるからだ。苦しまないですむためには、自我理想の期待値を低くすればよいのだけれど、まじめすぎてそれができないのだろう。わたしは自我理想が高くないので、自分がうつ病にかかることはあるまい、と思う。

こういう性格は、まったく「夢を見る能力」に欠ける。

だから、何があってもあまり動じないし、驚くことも少ない。

いまの勤め先に異動したとき、周囲のひとたちから心配された。

「ウエノさんに、東京大学が勤まりますか……」

「外国の大学だと思えば、どこでもやっていけます。」

と、しれっと答えたものだ。さぞかわいげがなかったことだろう。

たいがいの批判や攻撃は想定の範囲内だから、打たれ強いとも言われる。かといって、それがうれしいかと言えば、そんなことはない。

「ウエノさん、打たれ強いわね」と言うひとには、こう返す。

「あのね、生まれたときから、打たれ強いあかんぼなんて、いるわけないでしょ。」

なにも好きで打たれ強くなったわけではない。ひとは学習と経験から性格をかたちづくる。打ったり打たれたりする場に、身を置いてきたからだ。学問の世界を「闘技場」と呼んだひとがいる。批判と応酬がうずまくこの闘技場に長年身を置くと、確実に性格が悪くなる。

他人の意地悪やあてこすりがわからないほど、脳天気なわけでもない。失敗してもそれが堪《こた》えないほど、楽天的なわけでもない。タテマエとホンネにギャップがあるのはあたりまえだし、他人のことばにはウラがあると思う。ウラもオモテもないひとを、それだけでいいひととは思わない。無知の鈍感さよりは、意識的な悪意のほうがまだましだと思う。

こういう感じ方は、青春の一時期から四分の一世紀近くを、京都で過ごしたことに関係があるかもしれない。西陣生まれの生粋の京都人、人類学者の梅棹忠夫さんと一夕、会食したときのことだ。彼はゆったりした口調でこう言ったのだ。

「キミなあ、ウラもオモテもないっちゅうのは、かなわんもんやなあ。」

だが、他人にも世界にも多くを期待しないせいで、思いがけない恵みがもたらされる。他人がわたしの期待以上に善意を示してくれたときの喜び。世界がわたしが期待する以上の美しさを惜しげもなく与えてくれたときの感謝。

世間ではわたしは攻撃的な男ギライで通っているようだけれど、実はその正反対。たいがいの男性に対して寛容だし、かりかりすることも少ない。それというのも、男ってこの程度のもの、と期待水準が低いせいで、かえってひとりひとりの男性に期待した以上の美質を見いだしてしまうからだ。そうなってしまうと世の中が思いがけずしのぎやすくなるから、おもしろい。

夢見るひとは、現実を拒否する傾向があるようだが、生きていればなんでもアリ、のリアリストのほうが、現実を許容する幅が広いかもしれない。

年齢

よく年配のひとが「いまがいちばんいい時です」と言うのを聞くことがあるが、そこまで肯定的にはなれない。どの年齢にもそのときどきの迷いや悔いがあり、「後悔がない」ときっぱり言い切ることもできない。

人生の節目ふしめの選択を、「何歳までに何を実現して、と計画して生きてきました」というひとを見ると、外国人を見るような気分になる。わたしはカツマーこと勝間和代さんのようなひとには、とうていなれそうもない。田中美津さんのように、人生の選択を「天の声だったのよ」と確信を持って言えるひとを、うらやましいとは思わないが、まるで異星人のように感じる。

あるときから、自分の年齢より十歳ばかり年長のひとたちと、意識してつきあってきた。将来のことはわからないが、十年先ならなんとか想像が及ぶ気がしたからだ。二十年も三十年も先のことだと想像力の射程を超える。三十代の終わりに、そのときの自分より十歳年長の尊敬する女性に、「四十代になってラクになりましたか」と尋ねたことがある。

そのひとは、わたしを哀れむように見て、こう言ったものだ。

「そうねえ、ちっともラクにはならないわねえ。三十代には三十代の、四十代には四十代のつらさがあるものよ。」


迷いも後悔も多かった。恥もかいたし、忘れたい過去もある。さいわいなことに忘れっぽいので、生きていられるのだと思う。思い返せば、居ても立ってもいられないような思い出もある。

忘れることは、生きるスキル。

認知症のお年寄りが記憶障害になるのは、天の恵みではないかと思う。

いまだってこんなに忘れっぽいのだから、わたしが認知症になる可能性はそうとうに高そうだ。

たとえ忘れても記憶や経験が現在の自分をつくってきているのはたしか。

「いまが一番いい」とは思わないけれど、「いまの自分」が「昔の自分」より、少しはましになっているとは感じる。まず、なんと言っても、忍耐強くなった。それに寛容になった。他人に対する想像力も、以前に比べて幅ができた。その昔、「成熟するとは、自分の中にある他者の喫水線が上がること」と書いた覚えがあるけれど、たしかにそのぶんだけオトナになった。還暦を過ぎて「オトナになった」もないものだけれど。

信州安曇野にあるちひろ美術館をたずねる機会があった。

もともとちひろさんの作品は大好きだったが、この美術館を訪れるまでは、彼女の生涯について多くを知らなかった。「ちひろの人生」と題する展示室の入り口に、次のような文章が掲げてあった。

絵本作家だった岩崎ちひろさん（一九一八〜一九七四）が亡くなる二年前、一九七二年に五十四歳で書いた文章である。

「人はよく若かったときのことを、とくに女の人は娘ざかりの美しかったころのことを何にもましていい時であったように語ります。けれど私は自分をふりかえってみて、娘時代がよかったとはどうしても思えないのです。」

自分の若かった頃を「思えばなさけなくもあさはかな若き日々でありました」と回想するちひろさんは、「あのころよりはましになっている」と感じて、次のように書く。

「まだましになったというようになるまで、私は二十年以上も地味な苦労をしたのです。

失敗をかさね、冷汗をかいて、少しずつ、少しずつものがわかりかけてきているのです。なんで昔にもどれましょう。」

迷いと後悔の多い歳月と経験が、いまのわたしをつくってきた。昔より、少しはましになったと感じることができる。そう、「なんで昔にもどれましょう」。

若いときは柔軟だ、というのはウソ。若いときほど、アタマは固く、思いこみが激しく、固定観念でがんじがらめだった。それがしだいに解きほぐされ、柔軟になってきたのは年齢のおかげだ。いまさら「なんで昔にもどれましょう」。

そう言えば、中年になってから友人になっただれかれを思い浮かべても、歳月がかもした熟成感を漂わせる味のあるひとが多い。お互いにもっと若いときに出会っていたら……「きっとお友だちにはならなかったわね」と笑って顔を見合わせる。

若いときからつづいている友人たちも、ただ昔からの知り合いだというだけではない。歳月の節目ふしめでそのひとらしい選択を重ね、人生の歩みをたどってきた軌跡に、尊敬と共感を持っているからこそ、友情がつづいた。そうでないひととは、自然と疎遠になっている。「同窓生でした」と近づいてくるひとほど、苦手なものはない。学校が同じでもその後の人生に接点がなかったからこそ、何十年も会わずにきたのだ、いまさら同窓会など、行く気にもなれない。

「若いときの友だちが一生の友。大事にしなさいね」というアドバイスを聞くと、そうか、オトナになってからお友だちがつくれなかったかわいそうなひとなのね、とよけいなことまで思ってしまう。友人はいつでも、どこでも、つくれる、あなたがその気なら、と言ってあげたくなる。

歳をとってから培った友情では、そのひとの過去に思いを馳せる。どんな経験や苦労がこのひとの現在をかたちづくってきたのだろう、と想像するのが楽しい。男なら、ほかの女たちにさまざまに揉まれてなめされた効果を愛でる楽しみもある。「そっか、あなたもいろいろ苦労したのね」と思うこともあるし、「苦労が足りん、おとといおいで」と思うこともある。男を見れば、過去の女との関係の質はすぐに見えてくる。

ひとはひととひとの「あいだ」にいる。自分が「ましになった」と感じることができるのは、ひととの関係が受け入れやすくなったということと同じことだ。定型のない「友情」に男も女もない。それぞれの歳月を重ねて現在にたどりついた同性・異性の友人たちと、残りの時を豊かに分かちあいながら、年齢を重ねていきたい。

ひとり

「老後は金持ちより人持ち」と自分で書きながら、内心じくじたる思いがあった。わたし自身はありがたいことに「人持ち」だと思うし、共に過ごしてくれるだれかれにいまのところは事欠かないが、なにも「人持ち」でなくたって、とひそかに反発する気持ちがある。もしわたしがこの本の読者だったら……きっと「大きなお世話だ」と毒づきたくなるだろう。

ひとはたしかに群れる生きものだ。だからと言って四六時中、だれかと一緒にいたいわけではない。一日、仕事を終えてだれもいない家に帰ると、心からほっとする。こちらのつごうを考えないテレビの音声はうるさいだけだし、音楽だってBGMみたいに日がな一日流れていないと落ち着かないなんていう視聴習慣はない。家に帰ると灯りをつけるより前にテレビの電源を入れるというひとがいるそうだが、テレビを流しっぱなしで生活するひとたちの気が知れない。それというのも、ひとと会うのが仕事の、教師という接客業だからかもしれないが、もともとひとりでいることがそんなに苦にならない。

他人といても、そんなにおしゃべりではない。だれと会っていても、いつのまにか聞き手になっている。自分のことをあまり話さないから、親しい友人から怒られるくらいだ。話さないですむことは話さないし、仕事上の愚痴や悩みをだれかに相談したくても、それに至るこもごもの事情の説明をするだけでめんどうになり、結局何も言わないで過ごすことが多い。

夫に話を聞いてもらおうと待ちかまえている妻と疲れて帰宅して妻の愚痴を聞きたくない夫、あるいは仕事の話をいっさい家に持ちこまない夫とそのため夫の仕事について何も知らない妻、という組み合わせについてよく聞くが、それならわたしは夫の側に近いと感じる。

言ってもどうにもならないし、説明するだけで疲れてしまうことは口にしない。何より、問題は自分ひとりで解決するほかないことが身に沁みている。結局、何かが起きても、終わったあとに、「こんなことがあったのよ」と事後報告するくらいだ。

女友だちのあいだでは、恋バナや不倫相談だの、うちあけ話が親しさの尺度のように話されるし、そういう話をしなければならない場のプレッシャーもある。だが、それでもわたしは自分の話をあまり進んではしてこなかった。聞き手にはなったが、自分から話し手にはならなかった。

そうやって女友だちの話相手になってみると、びっくりするほど、ひとは他人のことに関心がないのだ、ということに気がついた。自分にかまけてひとしきりしゃべるあいだに、「あなたはどうなの?」と質問を返すひとが、あまりに少ないからだ。「あなた、自分のことは言わないのね」と言われたときには、「あなたは?」って訊き返さなかったのは、あなたのほうでしょ、と心のなかでひとりごちる。問いかけてくれさえすれば、答えたのに。まして男が相手なら、言うもおろか。男がエネルギーのあるときには男の自慢話の、男が弱っているときには男の愚痴の、結局聞き役にまわってしまう。男は聞き手になることに慣れていないからだ。まれにそうでない男に出会うと、稀少種の動物のように感じる。

ひとりでいることが苦にならない。そうじゃない時間をひととたっぷり過ごしているからよ、と言われる。ひとりでいてもさびしくない、と言うと、いまは健康で仕事があるからよ、と言われる。わたしもいずれさびしいと感じるときがくるのだろうか。

子どもが出ていき、夫に先立たれた女性が、さびしくてしかたがない、と嘆く。このひとに、どう言ってあげたらいいのだろう。子どもと同居して、孫を膝に乗せたら、さびしくなくなるのだろうか。それ以前に、夫と共に過ごした時間は、ほんとにさびしくなかったのだろうか。こういうひとには、いつでも他人の気配のある共同住宅をすすめたらいいのだろうか。それとも老人ホームの多床室のように、大部屋で過ごすのがいいのだろうか。

カリスマ理学療法士の三好春樹さんは、認知症高齢者は個室に入れてはいけない、と主張する。個人の境界が崩れてきている認知症者には、他人との心身の接触が不可欠だと。そういう高齢者のなかには、個室ユニットの施設にいても、自分の個室から出て他人の部屋のベッドに寝ていたりするひともいる。だが、わたしには、それは世代感覚と身体感覚のちがいのように思えてしかたがない。昔の大家族は同じ部屋で雑魚寝していたし、奉公人は大部屋で布団を並べるのが普通だった。戦前の東北で育った男性は、真冬にもすっぱだかで布団に入り、きょうだいでからだを接して寝ていたという。ひと肌のぬくもりや感触を感じるのはあたりまえのことだっただろう。わたしの友人の一家は、子どもたちに個室を与えているのに、寝るときだけは家族全員ひと部屋に集まって寝ていた。みみずの押し合いへし合いのような仲間にわたしも飛びこんだときには、生きものの温もりを堪能させてもらったが、それでもこれが毎日では辟易したことだろう。

ひとりになってさびしくてしかたがない、という女性には、そのうち慣れますよ、と言ってあげたくなる。他人の気配なしでは生きられないか、ひとりでも平気かは、たんなる生活習慣のちがいのようなものだからだ。

それとも、そんなにさびしいなら自然のなかにお行きなさい、と言いそうになる。風のそよぎ、光の翳り、緑のさやけさ、枯れ葉のかそけさ、木立ちの凛烈……春夏秋冬、どの季節をとっても自然は慰めになる。何より、かたときもとどまることのない空と雲とがある。それがすべてわたしのまわりをとりかこんでいて、こんなにも惜しみなく自分を与えてくれる。世界がわたしの存在以前からそこにあり、わたしの不在のあともそこにありつづけると感じられるのは、慰めでなくてなんだろうか。

たぶんそう答えても、この女性にはなんの解決にもならないだろう……。


高齢者の研究をしていて、自分も足腰の立つあいだに他人さまのお役に立つことをしたいものだ、と思ってきた。介護福祉士の資格やヘルパー資格がなくても、デイサービス施設の経営者にはなれる。「よりあい」や「うちの実家」、「井戸端げんき」など、全国各地には高齢者や行き場のない若者たちに「地域の茶の間」のような居場所を提供してきたすばらしい実践家たちがいる。わたしにもそういうことができるかもしれない……と思いながら踏みとどまるのは、自分がそういう大家族の「肝っ玉かあさん」や「旅館の女将《おかみ》」のような役回りに向いていないと思ってしまうからだ。四六時中他人——家族でも同じだ

――にとりかこまれる暮らしをしたくないし、そもそも自分自身が要介護になってもデイサービスに行きたいとは思わないような気がする。

ひとりの静謐をだれにも乱されたくない……そういう狷介な老女になりそうな気がする。

ゴミ屋敷のような家に住む老女が、「何度おたずねしても出てきてもらえないんです」と親切なケア・マネージャーさんが訴える。「ご本人のニーズとちがっていても、選択肢を示せばご自分の隠れたニーズに気がつくこともおありでしょうから、忍耐強くアプローチなさってみてください、貴重なお仕事ですから」と答えながら、気持ちはその老女の側に行っている。「大きなお世話」と。

死にゆくひとのもとで、そのひとの最期の数か月を見守った女性が言う。

「あなたがずっとそこにいてくれて、うれしいわ、って言ってくれたんですよ、死の数日前に……、わたしのような者でも、死にゆくひとの孤独を慰めることができたのかしら、って」。わたしの気持ちは死にゆくひとの側に向かう。死にゆく者の孤独は、だれにも慰めることはできない。そう告げたのは、死にゆくひとのやさしさだ、と。

「お母さんはひとりだけど、娘のわたしがいるからさびしくないでしょ、って言ってるんです」と子世代の女性が言う。わたしは思わず口に出してしまう。「あなたがいるからって、老いたお母さんの孤独が癒されると本気でそう思ってる？」……彼女を黙りこませて、わたしは少し後悔する。

だから人持ちでなくてもOK、ひとりが苦にならないひとはひとりでいたらよい、ひとりでいられる時間と空間とスキルさえあればよい、と書いたのだ。人持ちであることが、脅迫のように受けとられては困る。

そんなことを言うのも元気なうちだけよ、という声がどこからか聞こえる。衰えたり、気が弱ったり、病気になったりしたら、ぴいぴい泣いて、「お願いだからわたしに会いに来て」と友人たちに懇願するだろうか。

――それもまたよしとしよう。

あとがき

コラボが好きである。

それも未知の領域のひとと組んで、自分でも知らなかった未知の自分がひきだされる経験を味わうのが楽しい。

編集者がやってきて、エッセイ集を出したい、という。

わたしの手もとには、雑誌や新聞などの各種媒体に書いた長短のエッセイや時評が一冊の本にするくらい溜まっていたので、これでどうでしょう、とその材料をさしだした。その編集者はきっぱり断って、こう言ったのだ。

「いいえ。書き下ろしてください。」

それも自分が読みたいようなものを、と。わたしのこれまでの読者が知らない、わたしの一面を引きだすようなエッセイを、と彼はわたしに要求した。

NHK出版の小湊雅彦さんである。

このひとは、よしもとばななさんの担当編集者でもある。そのよしもとさんをして、こう言わしめている人物であることを知った。

「担当の小湊さんのしつこくて熱心で念入りないやらし〜い勧め」で本をつくった、と。そして「賢いのにとってもキュートで人をほっとさせる性格」だともあった。

そうなの。言ってくれるじゃないの。それなら組んでみようじゃないの——と、このあたりはばなな節が伝染《うつ》ったかも——そう思って、二年間にわたるミスマッチな彼の伴走が始まった。〆切りがないと文章が書けないわたしのために、連載の媒体を探してきてくれた。それが同じ出版社から出ている「おしゃれ工房」である。

正直に言うが、自分の連載が始まるまで、わたしは「おしゃれ工房」という雑誌を知らなかった。こういう雑誌を愛読している読者がいて、おんなの手仕事のたのしみを味わう世界があることを知って、新鮮だった。この雑誌の愛読者のひとたちに向けて、どんな球を投げればよいのかとまどったが、そのうち読者の方からぼちぼち「毎号、楽しみにしています」という反応が届くようになった。わたしの以前からの読者からも、「本屋で見つけて、意外なところにと、びっくりしました」と、お便りが届いた。「立ち読みしています」と伝えてくださる男性の読者もいた。

連載のタイトルは「マイナー・ノートで」。マイナー・ノートとは、音楽でいう長調・短調のうちの短調のこと。ノートには、音楽の調声の意味もあるが、香りの調合の意味もある。冒頭に置いた「菫の香水」のノートのようであれば、と願った。シャネルやディオールのようなブランドでなく、パンジーのような外来種でなく、在来種の野生のすみれの香り、である。

書物にするにあたって、「マイナー・ノート」ではにわかに意味が通じがたいだろうと案じた。それならいっそ「B面のわたし」ではどうだろうか、「G線上のアリア」などという楽曲もあるくらいなのだから、「B面上のつぶやき」などというのでは、と冗談まじりにあれこれ考えたが、結局「ひとりの午後に」に落ち着いた。決まってみると、このタイトルはとてもしっくりきた。デザイナーの日下潤一さんはこの気分を的確に汲んで、歳月に洗われた小石のイラストを配した、絶妙な装丁を提案してくださった。そう言えば、イラストレーターのいざわ直子さんも、連載中に裂き布でわたしのエッセイの気分と呼応する、味のあるイラストを毎回寄せてくださった。

結局、イラストも装丁も、媒体もスタイルもすべて舞台回しの小湊さんの手の内にあった。ばななさんの小湊評にならって上野版をつくるとしたら、「柔軟そうに見えながら粘り腰で頑固で、謙虚な見かけのくせにいつのまにか相手をたなごころに載せて、うちぶところにするりと入りこんでいる」彼の術中にはまっていた。

で、ひとの思惑にはまって流されることの快楽と言ったら！

受動の快楽は能動の快楽より深いのです、とだれかさんに倣って言いたくなるくらい。連載中の二年間は、ほんとに楽しかった。わたしはせっせと原稿を送り、最初の読者である彼からくる感想の第一報を楽しみにした。著者をこんな気分にさせるなんて、編集者の鑑である。


わたしは研究者だから、「考えたことは売りますが、感じたことは売りません」とこれまで言ってきた。本を読んで実物に会ったら「イメージがちがいすぎる」とも言われた。あたりまえである。研究の成果はわたしの一面でしかない。この本のなかで、わたしは禁を犯して感じたことを語りすぎたかもしれない。これもまたわたしのべつの一面である。だが、この「一面」は、この編集者との出会いがなければわたしのなかから生まれることはなかった。これまでの生涯のあいだに、何度かそういう幸運な出会いをしてきたが、今回も、じぶんを仕合わせ者、だと思う。そしてたぶん札付きのフェミニストとしての上野など知らず、予断も偏見もないだろう「おしゃれ工房」の読者との出会いも、しあわせだったと思う。

「ひとりの午後」にも、ささやかなよろこびやしあわせはある。断念も抑制もある。それは日射しが翳るまで生きてきた者に与えられるご褒美のような、人生の味わいだ。それを日溜まりにある流れついた小石のように、あなたに届けたい。

上野千鶴子

桜がほころぶ頃に

〈初出〉

1

菫の香水
〈『時間（とき）の香り』（八坂書房、一九九七年）〉
墓〈「おしゃれ工房」二〇〇八年九月号〉
和菓子〈「おしゃれ工房」二〇〇八年二月号〉
かすていら〈「おしゃれ工房」二〇〇九年五月号〉
母の味〈「おしゃれ工房」二〇〇八年五月号〉
好奇心〈「おしゃれ工房」二〇〇九年一〇月号〉
記憶〈「おしゃれ工房」二〇〇九年六月号〉
W坂〈「おしゃれ工房」二〇〇八年四月号〉

2

声〈「おしゃれ工房」二〇〇八年一月号〉
夕陽〈「おしゃれ工房」二〇〇八年三月号〉
クルマ〈「おしゃれ工房」二〇〇八年一二月号〉
本棚〈「おしゃれ工房」二〇〇八年六月号〉
スキー〈「おしゃれ工房」二〇〇九年四月号〉
ペット〈「おしゃれ工房」二〇〇八年七月号〉
俳句〈「おしゃれ工房」二〇〇九年八月号〉
髪〈「おしゃれ工房」二〇〇八年八月号〉
風呂〈「おしゃれ工房」二〇〇九年二月号〉

3

青春〈「遥か」二〇〇九年 Vol.5〉
うた〈「遊歩人」二〇〇七年一二月号〉
相談〈「おしゃれ工房」二〇〇九年九月号〉
ファン〈「週刊金曜日」二〇一〇年二月五日号〉
晩夏〈書き下ろし〉
逆風〈書き下ろし〉
正月〈「おしゃれ工房」二〇〇九年一月号〉
還暦〈「おしゃれ工房」二〇〇八年一一月号〉
読者
〈「&（and）」二〇〇九年夏（一四一）号～二〇一〇年春（一四四）号〉

4

佇まい〈「おしゃれ工房」二〇〇八年一〇月号〉
儀式〈「おしゃれ工房」二〇〇九年七月号〉
ボケ〈「おしゃれ工房」二〇〇九年三月号〉
夢〈「おしゃれ工房」二〇〇九年一一月号〉
年齢〈「おしゃれ工房」二〇〇九年一二月号〉
ひとり〈書き下ろし〉

上野千鶴子 うえの・ちづこ

１９４８年、富山県生まれ。京都大学大学院社会学専攻博士課程修了。現在、東京大学大学院人文社会系研究科教授。女性学、ジェンダー研究のパイオニアで指導的理論家のひとり。近年は、高齢者の介護問題へとその専門領域を広げている。１９９４年『近代家族の成立と終焉』でサントリー学芸賞を受賞。社会学をはじめ、文学、政治・経済、アートなど幅広いジャンルにわたる著書多数。なかでも『おひとりさまの老後』（法研、２００７年）、『男おひとりさま道』（同、２００９年）はベストセラーとなり、多くの読者を獲得した。

ひとりの午後に

２０１０（平成22）年４月25日　第１刷発行

著者　上野千鶴子

発行者　遠藤絢一

発行所　日本放送出版協会（ＮＨＫ出版）
〒１５０−８０８１
東京都渋谷区宇田川町41−1
電話　０３−３７８０−３３１８（編集）
　　　０５７０−０００−３２１（販売）
振替　００１１０−１−４９７０１
ホームページ　http://www.nhk-book.co.jp
携帯電話サイト　http://www.nhk-book-k.jp

印刷所　三秀舎／大熊整美堂

製本所　ブックアート

日本音楽著作権協会（出）許諾第１００３７１０−００１号

Printed in Japan ISBN 978-4-14-081419-2 C0095